CB036021

BAGAGEM

BAGAGEM

Adélia Prado

EDITORA RECORD
RIO DE JANEIRO • SÃO PAULO

2021

CIP-BRASIL. CATALOGAÇÃO NA PUBLICAÇÃO
SINDICATO NACIONAL DOS EDITORES DE LIVROS, RJ
P915b
43. ed.

Prado, Adélia
Bagagem / Adélia Prado.
43. ed. – Rio de Janeiro: Record, 2021.

ISBN 978-65-5587-325-2

1. Poesia brasileira. I. Título.

21-71707 CDD: 869.1
CDU: 82-1(81)

Leandra Felix da Cruz Candido – Bibliotecária – CRB-7/6135

PROJETO GRÁFICO Luciana Facchini
ILUSTRAÇÃO Rafaela Pascotto

Texto revisado segundo o novo Acordo Ortográfico da Língua Portuguesa.

Direitos exclusivos desta edição reservados pela
EDITORA RECORD LTDA.
Rua Argentina, 171 – Rio de Janeiro, RJ
20921-380 – Tel.: (21) 2585-2000.

Impresso no Brasil

ISBN 978-65-5587-325-2

Seja um leitor preferencial Record.
Cadastre-se em www.record.com.br e receba informações sobre nossos lançamentos e nossas promoções.

Atendimento e venda direta ao leitor:
sac@record.com.br

Louvai o Senhor, livro meu irmão, com vossas letras e palavras, com vosso verso e sentido, com vossa capa e forma, com as mãos de todos que vos fizeram existir, louvai o Senhor.

DA IMITAÇÃO DO "CÂNTICO DAS CRIATURAS" DE SÃO FRANCISCO DE ASSIS, A QUEM DEVO A GRAÇA DESTE LIVRO.

O MODO POÉTICO

Chorando, chorando, sairão espalhando as sementes.
Cantando, cantando, voltarão trazendo os seus feixes.
ESCRITO NOS SALMOS

COM LICENÇA POÉTICA

Quando nasci um anjo esbelto,
desses que tocam trombeta, anunciou:
vai carregar bandeira.
Cargo muito pesado pra mulher,
esta espécie ainda envergonhada.
Aceito os subterfúgios que me cabem,
sem precisar mentir.
Não sou tão feia que não possa casar,
acho o Rio de Janeiro uma beleza e
ora sim, ora não, creio em parto sem dor.
Mas o que sinto escrevo. Cumpro a sina.
Inauguro linhagens, fundo reinos
– dor não é amargura.
Minha tristeza não tem pedigree,
já a minha vontade de alegria,
sua raiz vai ao meu mil avô.
Vai ser coxo na vida é maldição pra homem.
Mulher é desdobrável. Eu sou.

GRANDE DESEJO

Não sou matrona, mãe dos Gracos, Cornélia,
sou é mulher do povo, mãe de filhos, Adélia.
Faço comida e como.
Aos domingos bato o osso no prato pra chamar
[o cachorro
e atiro os restos.
Quando dói, grito ai,
quando é bom, fico bruta,
as sensibilidades sem governo.
Mas tenho meus prantos,
claridades atrás do meu estômago humilde
e fortíssima voz pra cânticos de festa.
Quando escrever o livro com o meu nome
e o nome que eu vou pôr nele, vou com ele
[a uma igreja,
a uma lápide, a um descampado,
para chorar, chorar, e chorar,
requintada e esquisita como uma dama.

SENSORIAL

Obturação, é da amarela que eu ponho.
Pimenta e cravo,
mastigo à boca nua e me regalo.
Amor, tem que falar meu bem,
me dar caixa de música de presente,
conhecer vários tons pra uma palavra só.
Espírito, se for de Deus, eu adoro,
se for de homem, eu testo
com meus seis instrumentos.
Fico gostando ou perdoo.
Procuro sol, porque sou bicho de corpo.
Sombra terei depois, a mais fria.

ORFANDADE

Meu Deus,
me dá cinco anos.
Me dá um pé de fedegoso com formiga preta,
me dá um Natal e sua véspera,
o ressonar das pessoas no quartinho.
Me dá a negrinha Fia pra eu brincar,
me dá uma noite pra eu dormir com minha mãe.
Me dá minha mãe, alegria sã e medo remediável,
me dá a mão, me cura de ser grande,
ó meu Deus, meu pai,
meu pai.

RESUMO

Gerou os filhos, os netos,
deu à casa o ar de sua graça
e vai morrer de câncer.
O modo como pousa a cabeça para um retrato
é o da que, afinal, aceitou ser dispensável.
Espera, sem uivos, a campa, a tampa, a inscrição:
1906-1970
SAUDADE DOS SEUS, LEONORA.

CÍRCULO

Na sala de janta da pensão
tinha um jogo de taças roxo-claro,
duas licoreiras grandes e elas em volta,
como duas galinhas com os pintinhos.
Tinha poeira, fumaça e a cor lilás.
Comíamos com fome, era 12 de outubro
e a Rádio Aparecida conclamava os fiéis
a louvar a Mãe de Deus, o que eu fazia
na cidade de Perdões, que não era bonita.
Plausível tudo.
As horas cabendo o dia,
a cristaleira os cristais
– resíduo pra esta memória –
sem uma palavra demais.
Foi quando disse e entendi:
cabe no tacho a colher.
Se um dia puder,
nem escrevo um livro.

NO MEIO DA NOITE

Acordei meu bem pra lhe contar meu sonho:
sem apoio de mesa ou jarro eram
as buganvílias brancas destacadas de um escuro.
Não fosforesciam, nem cheiravam,
[nem eram alvas.
Eram brancas no ramo, brancas de leite grosso.
No quarto escuro, a única visível coisa, o próprio
[ato de ver.
Como se sente o gosto da comida eu senti o que
[falavam:
'A ressurreição já está sendo urdida, os tubérculos
da alegria estão inchando úmidos, vão brotar sinos'.
Doía como um prazer.
Vendo que eu não mentia ele falou:
as mulheres são complicadas. Homem é tão singelo.
Eu sou singelo. Fica singela também.
Respondi que queria ser singela e na mesma hora,
singela, singela, comecei a repetir singela.
A palavra destacou-se novíssima
como as buganvílias do sonho. Me atropelou.
– O que que foi? – ele disse.
– As buganvílias...

Como nenhum de nós podia ir mais além,
solucei alto e fui chorando, chorando,
até ficar singela e dormir de novo.

MÓDULO DE VERÃO

As cigarras começaram de novo, brutas e brutas.
Nem um pouco delicadas as cigarras são.
Esguicham atarraxadas nos troncos
o vidro moído de seus peitos, todo ele
– chamado canto – cinzento-seco, garra
de pelo e arame, um áspero metal.
As cigarras têm cabeça de noiva,
as asas como véu, translúcidas.
As cigarras têm o que fazer,
têm olhos perdoáveis.
Quem não quis junto deles uma agulha?
– Filhinho meu, vem comer,
ó meu amor, vem dormir.
Que noite tão clara e quente,
ó vida tão breve e boa!
A cigarra atrela as patas
é no meu coração.
O que ela fica gritando eu não entendo,
sei que é pura esperança.

LEITURA

Era um quintal ensombrado, murado alto
[de pedras.
As macieiras tinham maçãs temporãs,
[a casca vermelha
de escuríssimo vinho, o gosto caprichado das
[coisas
fora do seu tempo desejadas.
Ao longo do muro eram talhas de barro.
Eu comia maçãs, bebia a melhor água, sabendo
que lá fora o mundo havia parado de calor.
Depois encontrei meu pai, que me fez festa
e não estava doente e nem tinha morrido,
[por isso ria,
os lábios de novo e a cara circulados de sangue,
caçava o que fazer pra gastar sua alegria:
onde está meu formão, minha vara de pescar,
cadê minha binga, meu vidro de café?
Eu sempre sonho que uma coisa gera,
nunca nada está morto.
O que não parece vivo, aduba.
O que parece estático, espera.

SAUDAÇÃO

Ave, Maria!
Ave, carne florescida em Jesus.
Ave, silêncio radioso,
urdidura de paciência
onde Deus fez seu amor inteligível!

POEMA ESQUISITO

Dói-me a cabeça aos trinta e nove anos.
Não é hábito. É rarissimamente que ela dói.
Ninguém tem culpa.
Meu pai, minha mãe descansaram seus fardos,
não existe mais o modo
de eles terem seus olhos sobre mim.
Mãe, ô mãe, ô pai, meu pai. Onde estão escondidos?
É dentro de mim que eles estão.
Não fiz mausoléu pra eles, pus os dois no chão.
Nasceu lá, porque quis, um pé de saudade roxa,
que abunda nos cemitérios.
Quem plantou foi o vento, a água da chuva.
Quem vai matar é o sol.
Passou finados não fui lá, aniversário também não.
Pra quê, se pra chorar qualquer lugar me cabe?
É de tanto lembrá-los que eu não vou.
Ôôôô pai
Ôôôô mãe
Dentro de mim eles respondem
tenazes e duros,
porque o zelo do espírito é sem meiguices:
Ôôôôi fia.

ANTES DO NOME

Não me importa a palavra, esta corriqueira.
Quero é o esplêndido caos de onde emerge a
[sintaxe,
os sítios escuros onde nasce o 'de', o 'aliás',
o 'o', o 'porém' e o 'que', esta incompreensível
muleta que me apoia.
Quem entender a linguagem entende Deus
cujo Filho é Verbo. Morre quem entender.
A palavra é disfarce de uma coisa mais grave,
[surda-muda,
foi inventada para ser calada.
Em momentos de graça, infrequentíssimos,
se poderá apanhá-la: um peixe vivo com a mão.
Puro susto e terror.

AZUL SOBRE AMARELO, MARAVILHA E ROXO

Desejo, como quem sente fome ou sede,
um caminho de areia margeado de boninas,
onde só cabem a bicicleta e seu dono.
Desejo, com uma funda saudade
de homem ficado órfão pequenino,
um regaço e o acalanto, a amorosa tenaz
[de uns dedos
para um forte carinho em minha nuca.
Brotam os matinhos depois da chuva,
brotam os desejos do corpo.
Na alma, o querer de um mundo tão pequeno
como o que tem nas mãos o
[Menino Jesus de Praga.

PISTAS

Não pode ser uma ilusão fantástica
o que nos faz domingo após domingo
visitar os parentes, insistir
que assim é melhor, que de fato um bom
emprego é meio caminho andado.
Não pode ser verdade
que tanto afã escave na insolvência.
Há voos maravilhosos de ave,
aviões tão belos repousando nos campos
e o que é piedoso no morto:
não seu sexo murcho,
mas suas mãos empenhadas sobre o peito.

POEMA COM ABSORVÊNCIAS NO TOTALMENTE PERPLEXAS DE GUIMARÃES ROSA

Ah, pois, no conforme miro e vejo,
o por dentro de mim,
segundo o consentir
dos desarrazoados meus pensares,
é o brabo cavalo em as ventas arfando,
se querendo ir,
permanecido apenas no ajuste das leis do bem viver
comum,
por causa de uma total garantia se faltando em quem
m'as dê.
Ad' formas que em tréguas assisto e assino
e o todo exterior desta minha pessoa recomponho.
Porém chega o só sinal mais leve
de que aquilo ou isso é verdadeiro
pra a reta eu alimpar com o meu brabo cavalo.
Ara! que eu não nasci pra permanência desta
[duvidação,
mas só para o ser eu mesmo, o de todo mundo
[desigual,
afirmador e consequente, Riobaldo, o Tatarana.
Ixi!

O DIA DA IRA

As coisas tristíssimas,
o rolomag, o teste de Cooper,
a mole carne tremente entre as coxas,
vão desaparecer quando soar a trombeta.
Levantaremos como deuses,
com a beleza das coisas que nunca pecaram,
como árvores, como pedras,
exatos e dignos de amor.
Quando o anjo passar,
o furacão ardente do seu voo
vai secar as feridas,
as secreções desviadas dos seus vasos
e as lágrimas.
As cidades restarão silenciosas, sem um veículo:
apenas os pés de seus habitantes
reunidos na praça, à espera de seus nomes.

A INVENÇÃO DE UM MODO

Entre paciência e fama quero as duas,
pra envelhecer vergada de motivos.
Imito o andar das velhas de cadeiras duras
e se me surpreendem, explico cheia de verdade:
tô ensaiando. Ninguém acredita
e eu ganho uma hora de juventude.
Quis fazer uma saia longa pra ficar em casa,
a menina disse: 'Ora, isso é pras mulheres de São Paulo.'
Fico entre montanhas,
entre guarda e vã,
entre branco e branco,
lentes pra proteger de reverberações.
Explicação é para o corpo do morto,
de sua alma eu sei.
Estátua na Igreja e Praça
quero extremada as duas.
Por isso é que eu prevarico e me apanham chorando,
vendo televisão,
ou tirando sorte com quem vou casar.

Porque tudo que invento já foi dito
nos dois livros que eu li:
as escrituras de Deus,
as escrituras de João.
Tudo é Bíblias. Tudo é Grande Sertão.

EXAUSTO

Eu quero uma licença de dormir,
perdão pra descansar horas a fio,
sem ao menos sonhar
a leve palha de um pequeno sonho.
Quero o que antes da vida
foi o profundo sono das espécies,
a graça de um estado.
Semente.
Muito mais que raízes.

OVOS DA PÁSCOA

O ovo não cabe em si, túrgido de promessa,
a natureza morta palpitante.
Branco tão frágil guarda um sol ocluso,
o que vai viver, espera.

PÁSCOA

Velhice
é um modo de sentir frio que me assalta
e uma certa acidez.
O modo de um cachorro enrodilhar-se
quando a casa se apaga e as pessoas se deitam.
Divido o dia em três partes:
a primeira pra olhar retratos,
a segunda pra olhar espelhos,
a última e maior delas, pra chorar.
Eu, que fui loura e lírica,
não estou pictural.
Peço a Deus,
em socorro da minha fraqueza,
abrevie esses dias e me conceda um rosto
de velha mãe cansada, de avó boa,
não me importo. Aspiro mesmo
com impaciência e dor.
Porque sempre há quem diga
no meio da minha alegria:
'põe o agasalho'
'tens coragem?'
'por que não vais de óculos?'

Mesmo rosa sequíssima e seu perfume de pó,
quero o que desse modo é doce,
o que de mim diga: assim é.
Pra eu parar de temer e posar pra um retrato,
ganhar uma poesia em pergaminho.

TRÉGUA

Hoje estou velha como quero ficar.
Sem nenhuma estridência.
Dei os desejos todos por memória
e rasa xícara de chá.

LOUVAÇÃO PARA UMA COR

O amarelo faz decorrer de si os mamões e sua polpa,
o amarelo furável.
Ao meio-dia as abelhas, o doce ferrão e o mel.
Os ovos todos e seu núcleo, o óvulo.
Este, dentro, o minúsculo.
Da negritude das vísceras cegas,
amarelo e quente, o minúsculo ponto,
o grão luminoso.
Distende e amacia em bátegas
a pura luz de seu nome,
a cor tropicordiosa.
Acende o cio,
é uma flauta encantada,
um oboé em Bach.
O amarelo engendra.

ROXO

Roxo aperta.
Roxo é travoso e estreito.
Roxo é a cordis, vexatório,
uma doidura pra amanhecer.
A paixão de Jesus é roxa e branca,
pertinho da alegria.
Roxo é travoso, vai madurecer.
Roxo é bonito e eu gosto.
Gosta dele o amarelo.
O céu roxeia de manhã e de tarde,
uma rosa vermelha envelhecendo.
Cavalgo caçando o roxo,
lembrança triste, bonina.
Campeio amor pra roxeamar paixonada,
o roxo por gosto e sina.

UM SALMO

Tudo que existe louvará.
Quem tocar vai louvar,
quem cantar vai louvar,
o que pegar a ponta de sua saia
e fizer uma pirueta, vai louvar.
Os meninos, os cachorros,
os gatos desesquivados,
os ressuscitados,
o que sob o céu mover e andar
vai seguir e louvar.
O abano de um rabo, um miado,
u'a mão levantada, louvarão.
Esperai a deflagração da alegria.
A nossa alma deseja,
o nosso corpo anseia
o movimento pleno:
cantar e dançar TE-DEUM.

AGORA, Ó JOSÉ

É teu destino, ó José,
a esta hora da tarde,
se encostar na parede,
as mãos para trás.
Teu paletó abotoado
de outro frio te guarda,
enfeita com três botões
tua paciência dura.
A mulher que tens, tão histérica,
tão histórica, desanima.
Mas, ó José, o que fazes?
Passeias no quarteirão
o teu passeio maneiro
e olhas assim e pensas,
o modo de olhar tão pálido.
Por improvável não conta
o que tu sentes, José?
O que te salva da vida
é a vida mesma, ó José,
e o que sobre ela está escrito
a rogo de tua fé:

“No meio do caminho tinha uma pedra”,
“Tu és pedra e sobre esta pedra”,
a pedra, ó José, a pedra.
Resiste, ó José. Deita, José,
dorme com tua mulher,
gira a aldraba de ferro pesadíssima.
O reino do céu é semelhante a um homem
como você, José.

CLAREIRA

Seria tão bom, como já foi,
as comadres se visitarem nos domingos.
Os compadres fiquem na sala, cordiosos,
pitando e rapando a goela. Os meninos,
farejando e mijando com os cachorros.
Houve esta vida ou inventei?
Eu gosto de metafísica, só pra depois
pegar meu bastidor e bordar ponto de cruz,
falar as falas certas: a de Lurdes casou,
a das Dores se forma, a vaca fez, aconteceu,
as santas missões vêm aí, vigiai e orai
que a vida é breve.
Agora que o destino do mundo pende do meu palpite,
quero um casal de compadres, molécula de sanidade,
pra eu sobreviver.

IMPRESSIONISTA

Uma ocasião,
meu pai pintou a casa toda
de alaranjado brilhante.
Por muito tempo moramos numa casa,
como ele mesmo dizia,
constantemente amanhecendo.

A DESPROPÓSITO

Olhou para o teto, a telha parecia um quadrado
[de doce.
Ah! – falou sem se dar conta de que descobria,
[durando desde
a infância, aquela hora do dia, mais um galo cantando,
um corte de trator, as três camadas de terra,
a ocre, a marrom, a roxeada. Um pasto,
não tinha certeza se uma vaca
e o sarilho da cisterna desembestado, a lata
batendo no fundo com estrondo.
Quando insistiram, vem jantar, que esfria,
ele foi e disse antes de comer:
'Qualidade de telha é essas de antigamente'.

OS ACONTECIMENTOS E OS DIZERES

Quem está vivo diz:
hoje às três horas padre Libério
dá a bênção na Vila Vicentina.
Ou assim: coisa boa é um banho.
Ou ainda: casamento é coisa muito fina.
Eu achei tanta graça quando aprendi a dar nós,
fiquei cheia de poder.
Entendi depois o que queria dizer:
"toda convicção é apostólica",
fiquei cheia de espanto.
As palavras só contam o que se sabe.
Mas quem disser: Deus é um espírito de paz,
está repetindo um menino de sete anos,
[que acrescentou:
eu tenho medo é de dia; de noite, não,
porque é claro.

VIGÍLIA

O terror noturno decepou minha mão
quando ia pegar minha roupa de dormir.
Parei no meio do quarto, uma lucidez tão grande,
que tudo se tornava incompreensível.
O contorno da cama, de tal jeito quadrado e
[expectante,
o cabo de um serrote mal guardado, minha nudez
em trânsito entre a porta e a cadeira.
Claramente legíveis e insolúveis, uma campina
de sol e ar sem nuvens, a risada dos meninos
no campo retalhado de trator, as bodas de prata
do homem que fala sempre: 'Qual é o meu erro que
minha vontade é estar morto?'
Uma família fez sua casa no morro,
se eu mover o meu pé, a casa despenca.
O Espírito de Deus, movendo o que lhe apraz,
move a moça – que jurei não ser poeta –
a dizer cheia de graça: 'coisa mais engraçada deve ser
o Presidente chupando laranja!'
O Espírito de Deus é misericordioso,
vai desertar de mim pra eu poder descansar,
vai me deixar dormir.

O QUE A MUSA ETERNA CANTA

Cesse de uma vez meu vão desejo
de que o poema sirva a todas as fomes.
Um jogador de futebol chegou mesmo a declarar:
'Tenho birra de que me chamem de intelectual,
sou um homem como todos os outros.'
Ah, que sabedoria, como todos os outros,
a quem bastou descobrir:
letras eu quero é pra pedir emprego,
agradecer favores,
escrever meu nome completo.
O mais são as maltraçadas linhas.

A HORA GRAFADA

De noite no mato as árvores semelhavam
uma águia acabada de pousar,
um anjo saudando,
um galo perfeitinho,
uma ave grande vista de frente.
De noite no mato, as vivas figuras enraizadas,
prontas a falar ou bater asas.

BUCÓLICA NOSTÁLGICA

Ao entardecer no mato, a casa entre
bananeiras, pés de manjericão e cravo-santo,
aparece dourada. Dentro dela, agachados,
na porta da rua, sentados no fogão, ou aí mesmo,
rápidos como se fossem ao Êxodo, comem
feijão com arroz, taioba, ora-pro-nobis,
muitas vezes abóbora.
Depois, café na canequinha e pito.
O que um homem precisa pra falar,
entre enxada e sono: Louvado seja Deus!

PARA COMER DEPOIS

Na minha cidade, nos domingos de tarde,
as pessoas se põem na sombra com faca e laranjas.
Tomam a fresca e riem do rapaz de bicicleta,
a campainha desatada, o aro enfeitado de laranjas:
'Eh bobagem!'
Daqui a muito progresso tecno-ilógico,
quando for impossível detectar o domingo
pelo sumo das laranjas no ar e bicicletas,
em meu país de memória e sentimento,
basta fechar os olhos:
é domingo, é domingo, é domingo.

A CATECÚMENA

Se o que está prometido é a carne incorruptível,
é isso mesmo que eu quero, disse e acrescentou:
mais o sol numa tarde com tanajuras,
o vestido amarelo com desenhos semelhando urubus,
um par de asas em maio e imprescindível,
multiplicado ao infinito, o momento em que
palavra alguma serviu à perturbação do amor.
Assim quero "venha a nós o vosso reino".
Os doutores da Lei, estranhados de fé tão ávida,
disseram delicadamente:
vamos olhar a possibilidade de uma nova exegese
deste texto. Assim fizeram.
Ela foi admitida; com reservas.

ATÁVICA

Minha mãe me dava o peito e eu escutava,
o ouvido colado à fonte dos seus suspiros:
'Ó meu Deus, meu Jesus, misericórdia'.
Comia leite e culpa de estar alegre quando fico.
Se ficasse na roça ia ser carpideira, puxadeira de terço,
cantadeira, o que na vida é beleza sem esfuziamentos,
as tristezas maravilhosas.
Mas eu vim pra cidade fazer versos tão tristes
que dão gosto, meu Jesus misericórdia.
Por prazer da tristeza eu vivo alegre.

MOMENTO

Enquanto eu fiquei alegre, permaneceram
um bule azul com um descascado no bico,
uma garrafa de pimenta pelo meio,
um latido e um céu limpidíssimo
com recém-feitas estrelas.
Resistiram nos seus lugares, em seus ofícios,
constituindo o mundo pra mim, anteparo
para o que foi um acometimento:
súbito é bom ter um corpo pra rir
e sacudir a cabeça. A vida é mais tempo
alegre do que triste. Melhor é ser.

METAMORFOSE

Foi assim que meu pai me disse uma vez:
Você anda feito cavalo velho, procurando grota.

As cigarras atrelavam as patas nos troncos
e zuniam com decisão os seus chiados.
As árvores cantavam no quintal,
refolhadas de novíssimo verde.
Arregacei as narinas e fui pastar
com minha cabeça minúscula.
O que mais quente e amarelo pode ser,
era o sol, um dia de pura luz.
Mugi entre as vacas, antediluviana,
sei de moitas, água que achei e bebi.
Na volta sacudi pescoço e rabo.
Só dois sinais restaram:
um modo guloso de cheirar os verdes;
um modo de pisar, só casco e pedras.

EXPLICAÇÃO DE POESIA SEM NINGUÉM PEDIR

Um trem de ferro é uma coisa mecânica,
mas atravessa a noite, a madrugada, o dia,
atravessou minha vida,
virou só sentimento.

SOLO DE CLARINETA

As pétalas da flor-seca, a sempre-viva,
do que mais gosto em flor.
Do seu grego existir de boniteza,
sua certa alegria.
É preciso ter morrido uma vez e desejado
o que sobre as lápides está escrito
de repouso e descanso, pra amar seu duro odor
de retrato longínquo, seu humano conter-se.
As severas.

ENDECHA

Embora a velha roseira insista neste agosto
e confirmem o recomeço estas mulheres grávidas,
eu sofro de um cansaço, intermitente como
[certas febres.
Me acontece lavar os cabelos e ir secá-los ao sol,
desavisada. Ocorre até que eu cante.
Mas pousa na canção a negra ave e eu desafino rouca,
em descompasso, uma perna mais curta,
a ausência ocupando todos os meus cômodos,
a lembrança endurecida no cristal
de uma pedra na uretra.

UM HOMEM DOENTE FAZ A ORAÇÃO DA MANHÃ

Pelo sinal da Santa Cruz,
chegue até Vós meu ventre dilatado
e Vos comova, Senhor, meu mal sem cura.
Inauguro o dia, eu que a meu crédito explico
que passei em claro a treva da noite.
Escutei – e é quando às vezes descanso –
vozes de há mais de trinta anos.
Vi no meio da noite nesgas claríssimas de sol.
Minha mãe falou,
enxotei gatos lambendo
o prato da minha infância.
Livrai-me de lançar contra Vós
a tristeza do meu corpo
e seu apodrecimento cuidadoso.
Mas desabafo dizendo:
que irado amor Vós tendes.
Tem piedade de mim,
tem piedade de mim
pelo sinal da Vossa Cruz,
que faço na testa, na boca, no coração.
Da ponta dos pés à cabeça,
de palma à palma da mão.

REZA PARA AS QUATRO ALMAS DE FERNANDO PESSOA

Da belíssima "Ode à noite antiga"
resulta que eu entendo, limpo de esforço
e vaidade, se nos fosse possível:
da oração verdadeira nasce a força.
Ninguém se cansa de bondade e avencas.
Os rebanhos guardados guardam o homem.
Todos que estamos vivos morreremos.
Não é para entender que nós pensamos,
é para sermos perdoados.
Pai nosso, criador da noite, do sonho,
do meu poder sobre os bois,
eis-me, eis-me.

ENDECHA DAS TRÊS IRMÃS

As três irmãs conversavam em binário lentíssimo.
A mais nova disse: tenho um abafamento aqui,
e pôs a mão no peito.
A do meio disse: sei fazer umas rosquinhas.
A mais velha disse: faço quarenta anos, já.
A mais nova tem a moda de ir chorar no quintal.
A do meio está grávida.
A mais cruel se enterneceu por plantas.
Nosso pai morreu, diz a primeira,
nossa mãe morreu, diz a segunda,
somos três órfãs, diz a terceira.
Vou recolher a roupa no quintal, fala a primeira.
Será que chove?, fala a segunda.
Já viram minhas sempre-vivas?, falou a terceira,
a de coração duro, e soluçou.
Quando a chuva caiu ninguém ouviu os três choros
dentro da casa fechada.

TARJA

A Revista de Santo Antônio tem uma seção que eu
não perco:

À Sombra da Cruz

onde se recomenda à oração dos leitores as almas
[dos assinantes.
Venício Ferreira Bernardes – Carmópolis de Minas
Mozar Pereira Gentil – Lavras
Judith Abdala Maia – Perdões
Arnalda Bressane Costa – Jundiaí
Paulo Antônio Fernandes – São Sebastião do Oeste
João Antônio Correia – Divinópolis.
O nome das pessoas e os de seus lugares,
registrados na página encimada por uma cruz
de pontas arredondadas, eu acho bonito sempre.
É necrofilia não, é simpatia, dor
que aos domingos me adula, açula um galo,
o gosto da melancolia.
Raimunda Lázara de Jesus – Itaguara
esta, uma vez, pegando um trem, disse assim:
'O Mazzaropi dá muita graça pra nóis,
arrio dele demais'.

Ernestina Alvarenga Reis – Pirapora
é como um ramo de angélicas dentro de um quarto
[fechado.
No domingo amarelo passa o chapéu florido.
A poesia, a mais ínfima, é serva da esperança.

PARA TAMBOR E VOZ

Viola violeta violenta violada,
óbvia vertigem caos tão claro,
claustro.
Lápides quentes sobre restos podres,
um resto de café na xícara e mosca.

TODOS FAZEM UM POEMA A CARLOS DRUMMOND DE ANDRADE

Enquanto punha o vestido azul com margaridas
[amarelas
e esticava os cabelos para trás, a mulher falou alto:
é isto, eu tenho inveja de Carlos Drummond
[de Andrade
apesar de nossas extraordinárias semelhanças.
E decifrou o incômodo do seu existir junto com o dele.
Vamos ambos à enciclopédia, seguiu dizendo, à cata
de constituição, e paramos em "clematite, flor lilás
de ingênuo desenho que ama desabrochar nas sebes
[europeias".
Temos terrores noturnos, diurnos desesperos
e dias seguidos onde nada acontece.
Comemos, bebemos e diante do nosso nome impresso
temos nenhum orgulho, porque esta lembrança
[não deixa:
uma vez, na Avenida Afonso Pena, um bêbado
[gritando:
'Todo mundo aqui é um saco de tripas'.
Carlos é *gauche*. A mim, várias vezes, disseram:
'Não sabes ler a placa? É CONTRAMÃO'.

Um dia fizemos um verso tão perfeito
que as pessoas começaram a rir. No entanto persiste,
a partir de mim, a raiva insopitada
quando citam seu nome, lhe dedicam poemas.
Desta maneira prezo meu caderno de versos,
que é uma pergunta só, nem ao menos original:
'Por que não nasci eu um simples vaga-lume?'
Só à ponta de fina faca, o quisto da minha inveja,
como aos mamões maduros se tiram os olhos podres.
Eu sou poeta? Eu sou?
Qualquer resposta verdadeira
e poderei amá-lo.

DISRITMIA

Os velhos cospem sem nenhuma destreza
e os velocípedes atrapalham o trânsito no passeio.
O poeta obscuro aguarda a crítica
e lê seus versos, as três vezes por dia,
feito um monge com seu livro de horas.
A escova ficou velha e não penteia.
Neste exato momento o que interessa
são os cabelos desembaraçados.
Entre as pernas geramos e sobre isso
se falará até o fim sem que muitos entendam:
erótico é a alma.
Se quiser, ponho agora a *ária* na quarta corda,
pra me sentir clemente e apaziguada.
O que entendo de Deus é sua ira,
não tenho outra maneira de dizer.
As bolas contra a parede me desgostam,
mas os meninos riem satisfeitos.
Tarde como a de hoje, vi centenas.
Não sinto angústia, só uma espera ansiosa.
Alguma coisa vai acontecer.
Não existe o destino.
Quem é premente é Deus.

TOADA

Cantiga triste, pode com ela
é quem não perdeu a alegria.

UMA FORMA PARA MIM

Hoje acordei normal, como antes de fazer treze anos.
Fui cedo catar coisas no lixo, cavucar abacaxis
[apodrecidos,
atrás de um veio são, como quem cata ouro.
Que tem isso tudo a ver com santidade?
Mas se não tiver me morro,
porque não entendo outro ar menos grosso
que este onde meu nariz se apoia.
Os santos me chamam com assobios vertiginosos,
se penso que vou é porque é maior meu olho que
[a barriga;
dou um passo de medroso, outro de temerário.
Com dois passos e meio fico doido e começo a voltar.
Sei o que não é para mim. O que é meu não sei
[direito ainda.
Uma vez, quando eu tinha quatro anos,
achei um caco de vidro no monturo.
Lavei, enxuguei, guardei bem guardado
e fui comer com vontade, ficar obediente, emprestar
[minhas coisas,
por causa do caco, porque tinha ele, porque eu podia
quando quisesse pôr ele contra o sol e aproveitar seu
[reflexo.

Ele era laranjado chitadinho de branco. Assim eu sei,
se assim puder, farei. Cada qual é diverso, descobri.
Por isso e porque está escrito
que o Espírito de Deus nos toma sem matar-nos
é que eu digo como quem reza: Sô Antônio Vítor
[morreu.
A tarde do seu enterro foi um largo tranquilo
[de se dizer:
hoje está tudo como antigamente era bom.
Os cereais somam seus cheiros – oh! que perfume
[doce –
com rapadura e querosene – oh! que
[armazéns humanos.
Os mosquitos como pessoas da casa admitidos.
A poeira também.
Quando eu fico normal o reino do céu não dá os
[sobressaltos,
dá só gosto e alegria.

SEDUÇÃO

A poesia me pega com sua roda dentada,
me força a escutar imóvel
o seu discurso esdrúxulo.
Me abraça detrás do muro, levanta
a saia pra eu ver, amorosa e doida.
Acontece a má coisa, eu lhe digo,
também sou filho de Deus,
me deixa desesperar.
Ela responde passando
língua quente em meu pescoço,
fala pau pra me acalmar,
fala pedra, geometria,
se descuida e fica meiga,
aproveito pra me safar.
Eu corro ela corre mais,
eu grito ela grita mais,
sete demônios mais forte.
Me pega a ponta do pé
e vem até na cabeça,
fazendo sulcos profundos.
É de ferro a roda dentada dela.

GUIA

A poesia me salvará.
Falo constrangida, porque só Jesus
Cristo é o Salvador, conforme escreveu
um homem – sem coação alguma –
atrás de um crucifixo que trouxe de lembrança
de Congonhas do Campo.
No entanto, repito, a poesia me salvará.
Por ela entendo a paixão
que Ele teve por nós, morrendo na cruz.
Ela me salvará, porque o roxo
das flores debruçado na cerca
perdoa a moça do seu feio corpo.
Nela, a Virgem Maria e os santos consentem
no meu caminho apócrifo de entender a palavra
pelo seu reverso, captar a mensagem
pelo arauto, conforme sejam suas mãos e olhos.
Ela me salvará. Não falo aos quatro ventos,
porque temo os doutores, a excomunhão
e o escândalo dos fracos. A Deus não temo.
Que outra coisa ela é senão Sua Face atingida
da brutalidade das coisas?

BENDITO

Louvado sejas Deus meu Senhor,
porque o meu coração está cortado a lâmina,
mas sorrio no espelho ao que,
à revelia de tudo, se promete.
Porque sou desgraçado
como um homem tangido para a forca,
mas me lembro de uma noite na roça,
o luar nos legumes e um grilo,
minha sombra na parede.
Louvado sejas, porque eu quero pecar
contra o afinal sítio aprazível dos mortos,
violar as tumbas com o arranhão das unhas,
mas vejo Tua cabeça pendida
e escuto o galo cantar
três vezes em meu socorro.
Louvado sejas, porque a vida é horrível,
porque mais é o tempo que eu passo recolhendo os
[despojos,
– velho ao fim da guerra com uma cabra –
mas limpo os olhos e o muco do meu nariz,
por um canteiro de grama.

Louvado sejas porque eu quero morrer
mas tenho medo e insisto em esperar o prometido.
Uma vez, quando eu era menino, abri a porta de noite,
a horta estava branca de luar
e acreditei sem nenhum sofrimento.
Louvado sejas!

REFRÃO E ASSUNTO DE CAVALEIRO E SEU CAVALO MEDROSO

Ô estrela-d'alva,
ô lua...
Tristeza é o luar nos ermos
do sertão, minas gerais.
Eh saudade! de quê, meu Deus?
Não sei mais.
Ô estrela-d'alva,
ô lua...
O escuro é duro ou macio?
meu cavalo perguntou.
Eu lhe respondi: galopa,
é pra Deus que eu vou.
Ô estrela-d'alva,
ô lua...
Ô estrela-d'alva, gritei
na cava, pra espantar o breu.
Alva alva alva alva
precipício respondeu.
Ô estrela-d'alva,
ô lua...

No fim da viagem, no fim da noite,
tem uma porteira se abrindo
pra madrugada suspensa.
É pra lá que eu vou,
pro céu e pro ar, rosilho,
para os pastos de orvalho.
Ô estrela-d'alva,
ô lua...
Quanto tempo dura a noite?
meu cavalo perguntou.
O tempo é de Deus, eu disse.
E esporeei.
Ô estrela-d'alva,
ô lua...
ô alva...

FRAGMENTO

Bem-aventurado o que pressentiu
quando a manhã começou:
não vai ser diferente da noite.
Prolongados permanecerão o corpo sem pouso,
o pensamento dividido entre deitar-se primeiro
à esquerda ou à direita
e mesmo assim anunciou paciente ao meio-dia:
algumas horas e já anoitece, o mormaço abranda,
um vento bom entra nessa janela.

ANUNCIAÇÃO AO POETA

Ave, ávido.
Ave, fome incansável e boca enorme,
come.
Da parte do Altíssimo te concedo
que não descansarás e tudo te ferirá de morte:
o lixo, a catedral e a forma das mãos.
Ave, cheio de dor.

ANÍMICO

Nasceu no meu jardim um pé de mato
que dá flor amarela.
Toda manhã vou lá pra escutar a zoeira
da insetaria na festa.
Tem zoado de todo jeito:
tem do grosso, do fino, de aprendiz e de mestre.
É pata, é asa, é boca, é bico,
é grão de poeira e pólen na fogueira do sol.
Parece que a arvorinha conversa.

A TRISTEZA CORTESÃ ME PISCA OS OLHOS

Eu procuro o mais triste, o que encontrado
nunca mais perderei, porque vai me seguir
mais fiel que um cachorro, o fantasma
de um cachorro, a tristeza sem verbo.
Eu tenho três escolhas: na primeira, um homem
que ainda está vivo à borda de sua cama me acena
e fala com seu tom mais baixo: 'reza pra eu dormir, viu?'
Na outra, sonho que bato num menino. Bato, bato,
até apodrecer meu braço e ele ficar roxo. Eu bato mais
e ele ri sem raiva, ri pra mim que bato nele.
Na última, eu mesma engendro este horror:
a sirene apita chamando um homem já morto
e fica de noite e amanhece, ele não volta
e ela insiste e sua voz é humana.
Se não te basta, espia:
eu levanto o meu filho pelos órgãos sensíveis
e ele me beija o rosto.

DESCRITIVO

As formigas passeiam na parede,
perto de um vidro de cola que perdeu a rolha. Há mais:
um maço de jornais, uma bilha e seu gargalo fálico,
um copo de plástico e um quiabo seco,
guardado ali por causa das sementes.
Tudo sobre uma cômoda, num quarto.
O vidro de cola está arrolhado com uma bucha
[de papel.
É sábado, é tarde, é túrgida minha bexiga feminina
e por isso vai ser menos belo que eu me levante e
[a esvazie.
Os analistas dirão, segundo Freud: complexo de
[castração.
Eu não digo nada, pela primeira vez, humildemente.
Vou me deitar pra dormir, não antes sem rezar,
pelos meus e os teus.

DUAS MANEIRAS

De dentro da geometria
Deus me olha e me causa terror.
Faz descer sobre mim o íncubo hemiplégico.
Eu chamo por minha mãe,
me escondo atrás da porta,
onde meu pai pendura sua camisa suja,
bebo água doce e falo as palavras das rezas.
Mas há outro modo:
se vejo que Ele me espreita,
penso em marca de cigarros,
penso num homem saindo de madrugada pra adorar o
[Santíssimo,
penso em fumo de rolo, em apito, em mulher da roça
com o balaio de pequi, fruta feita de cheiro e amarelo.
Quando Ele dá fé, já estou no colo d'Ele,
pego Sua barba branca,
Ele joga pra mim a bola do mundo,
eu jogo pra Ele.

CABEÇA

Quando eu sofria dos nervos,
não passava debaixo de fio elétrico,
tinha medo de chuva, de relâmpio,
nojo de certos bichos que eu não falo
pra não ter de lavar minha boca com cinza.
Qualquer casca de fruta eu apanhava.
Hoje, que sarei, tenho uma vida e tanto:
já seguro nos fios com a chave desligada
e lembrei de arrumar pra mim esta capa de
[plástico,
dia e noite eu não tiro, até durmo com ela.
Caso chova, tenho trabalho nenhum.
Casca, mesmo sendo de banana ou de manga,
eu não intervo, quem quiser que se cuide.
Abastam as placas de ATENÇÃO! que eu escrevo
e ponho perto. Um bispo, quando tem zelo
apostólico, é uma coisa charmosa.
Não canso de explicar isso pro pastor
da minha diocese, mas ele não entende
e fica falando: 'minha filha, minha filha',
ele pensa que é *Woman's Lib,* pensa

que a fé tá lá em cima e cá em baixo
é mau gosto só. É ruim, é ruim,
ninguém entende. Gritava até parar,
quando eu sofria dos nervos.

DE PROFUNDIS

Quando a noite vier e minh'alma ciclotímica
afundar nos desvãos da água sem porto,
salva-me.
Quando a morte vier, salva-me do meu medo,
do meu frio, salva-me,
ó dura mão de Deus com seu chicote,
ó palavra de tábua me ferindo no rosto.

UM SONHO

Eu tive um sonho esta noite que não quero esquecer,
por isso o escrevo tal qual se deu:
era que me arrumava pra uma festa onde eu ia falar.
O meu cabelo limpo refletia vermelhos,
o meu vestido era num tom de azul, cheio de
[panos, lindo,
o meu corpo era jovem, as minhas pernas
[gostavam
do contato da seda. Falava-se, ria-se, preparava-se.
Todo movimento era de espera e aguardos, sendo
que depois de vestida, vesti por cima um casaco
e colhi do próprio sonho, pois de parte alguma
eu a vira brotar, uma sempre-viva amarela,
que me encantou por seu miolo azul, um azul
de céu limpo sem as reverberações, de um azul
sem o 'z', que o 'z' nesta palavra tisna.
Não digo azul, digo *bleu,* a ideia exata
de sua seca maciez. Pus a flor no casaco
que só para isto existiu, assim como o sonho inteiro.
Eu sonhei uma cor.
Agora, sei.

SÍTIO

Igreja é o melhor lugar.
Lá o gado de Deus para pra beber água,
rela um no outro os chifres
e espevita seus cheiros
que eu reconheço e gosto,
a modo de um cachorro.
É minha raça, estou
em casa como no meu quarto.
Igreja é a casamata de nós.
Tudo lá fica seguro e doce,
tudo é ombro a ombro buscando a porta estreita.
Lá as coisas dilacerantes sentam-se
ao lado deste humaníssimo fato
que é fazer flores de papel
e nos admiramos como tudo é crível.
Está cheia de sinais, palavra,
cofre e chave, nave e teto aspergidos
contra vento e loucura.
Lá me guardo, lá espreito
a lâmpada que me espreita, adoro
o que me subjuga a nuca como a um boi.

Lá sou corajoso
e canto com meu lábio rachado:
glória no mais alto dos céus
a Deus que de fato é espírito
e não tem corpo, mas tem
o olho no meio de um triângulo
donde vê todas as coisas,
até os pensamentos futuros.
Lugar sagrado, eletricidade
que eu passeio sem medo.
Se eu pisar,
o amor de Deus me mata.

TABARÉU

Vira e mexe eu penso é numa toada só.
Fiz curso de filosofia pra escovar o pensamento,
não valeu. O mais universal a que chego
é a recepção de Nossa Senhora de Fátima
em Santo Antônio do Monte.
Duas mil pessoas com velas louvando Maria
num oco de escuro, pedindo bom parto,
moço de bom gênio pra casar,
boa hora pra nascer e morrer.
O cheiro do povo espiritado,
isso eu entendo sem desatino.
Porque, mercê de Deus, o poder que eu tenho
é de fazer poesia, quando ela insiste feito
água no fundo da mina, levantando morrinho
[de areia.
É quando clareia e refresca, abre sol, chove,
conforme necessidades.
Às vezes dá até de escurecer de repente
com trovoada e raio. Não desaponta nunca.
É feito sol.
Feito amor divino.

O MODO POÉTICO

Quando se passam alguns dias
e o vento balança as placas numeradas
na cabeceira das covas e bate
um calor amarelo sobre inscrições e lápides,
e quando se olha os retratos e se consegue
dizer com límpida voz:
ele gostava deste terno branco
e quando se entra na fila das viúvas,
batendo papo e cabo de sombrinha,
é que a poeira misericordiosa recobriu coisa e dor,
deu o retoque final.
Pode-se compreender de novo
que esteve tudo certo, o tempo todo
e dizer sem soberba ou horror:
é em sexo, morte e Deus
que eu penso invariavelmente todo dia.
É na presença d'Ele que eu me dispo
e muito mais, d'Ele que não é pudico
e não se ofende com as posições no amor.
Quando tudo se recompõe,
é saltitantes que nos vamos
cuidar de horta e gaiola.

A mala, a cuia, o chapéu
enchem o nosso coração
como uns amados brinquedos reencontrados.
Muito maior que a morte é a vida.
Um poeta sem orgulho é um homem de dores,
muito mais é de alegrias.
A seu cripto modo anuncia,
às vezes, quase inaudível
em delicado código:
'cuidado, entre as gretas do muro
está nascendo a erva...'
Que a fonte da vida é Deus,
há infinitas maneiras de entender.

UM JEITO
E AMOR

Confortai-me com flores, fortalecei-me com frutos,
porque desfaleço de amor.
CÂNTICO DOS CÂNTICOS

AMOR VIOLETA

O amor me fere é debaixo do braço,
de um vão entre as costelas.
Atinge o meu coração é por esta via inclinada.
Eu ponho o amor no pilão com cinza
e grão de roxo e soco. Macero ele,
faço dele cataplasma
e ponho sobre a ferida.

A SERENATA

Uma noite de lua pálida e gerânios
ele viria com boca e mão incríveis
tocar flauta no jardim.
Estou no começo do meu desespero
e só vejo dois caminhos:
ou viro doida ou santa.
Eu que rejeito e exprobo
o que não for natural como sangue e veias
descubro que estou chorando todo dia,
os cabelos entristecidos
a pele assaltada de indecisão.
Quando ele vier, porque é certo que vem,
de que modo vou chegar ao balcão sem juventude?
A lua, os gerânios e ele serão os mesmos
– só a mulher entre as coisas envelhece.
De que modo vou abrir a janela, se não for doida?
Como a fecharei, se não for santa?

UMA VEZ VISTO

Para o homem com a flauta,
sua boca e mãos,
eu fico calada.
Me viro em dócil,
sábia de fazer com veludos
uma caixa.
O homem com a flauta
é meu susto pênsil
que nunca vou explicar,
porque flauta é flauta,
boca é boca,
mão é mão.
Como os ratos da fábula eu o sigo
roendo inroível amor.
O homem com a flauta existe?

O SEMPRE AMOR

Amor é a coisa mais alegre
amor é a coisa mais triste
amor é coisa que mais quero.
Por causa dele falo palavras como lanças.
Amor é a coisa mais alegre
amor é a coisa mais triste
amor é coisa que mais quero.
Por causa dele podem entalhar-me,
sou de pedra-sabão.
Alegre ou triste,
amor é coisa que mais quero.

CANÇÃO DE JOANA D'ARC

A chama do meu amor faz arder minhas vestes.
É uma canção tão bonita o crepitar
que minha mãe se consola,
meu pai me entende sem perguntas
e o rei fica tão surpreendido
que decide em meu favor
uma revisão das leis.

A MEIO PAU

Queria mais um amor. Escrevi cartas,
remeti pelo correio a copa de uma árvore,
pardais comendo no pé um mamão maduro
– coisas que não dou a qualquer pessoa –
e mais que tudo, taquicardias,
um jeito de pensar com a boca fechada,
os olhos tramando um gosto.
Em vão.
Meu bem não leu, não escreveu,
não disse essa boca é minha.
Outro dia perguntei a meu coração:
o que que há durão, mal de chagas te comeu?
Não, ele disse: é desprezo de amor.

OS LUGARES COMUNS

Quando o homem que ia casar comigo
chegou a primeira vez na minha casa,
eu estava saindo do banheiro, devastada
de angelismo e carência. Mesmo assim,
ele me olhou com olhos admirados
e segurou minha mão mais que
um tempo normal a pessoas
acabando de se conhecer.
Nunca mencionou o fato.
Até hoje me ama com amor
de vagarezas, súbitos chegares.
Quando eu sei que ele vem,
eu fecho a porta para a grata surpresa.
Vou abri-la como o fazem as noivas
e as amantes. Seu nome é:
Salvador do meu corpo.

PSICÓRDICA

Vamos dormir juntos, meu bem,
sem sérias patologias.
Meu amor é este ar tristonho
que eu faço pra te afligir,
um par de fronhas antigas
onde eu bordei nossos nomes
com ponto cheio de suspiros.

ENREDO PARA UM TEMA

Ele me amava, mas não tinha dote,
só os cabelos pretíssimos e uma beleza
de príncipe de histórias encantadas.
Não tem importância, falou a meu pai,
se é só por isto, espere.
Foi-se com uma bandeira
e ajuntou ouro pra me comprar três vezes.
Na volta me achou casada com D. Cristóvão.
Estimo que sejam felizes, disse.
O melhor do amor é sua memória, disse meu pai.
Demoraste tanto, que... disse D. Cristóvão.
Só eu não disse nada,
nem antes, nem depois.

BILHETE EM PAPEL ROSA

A meu amado secreto, Castro Alves

Quantas loucuras fiz por teu amor, Antônio.
Vê estas olheiras dramáticas,
este poema roubado:
"o cinamomo floresce
em frente do teu postigo.
Cada flor murcha que desce,
morro de sonhar contigo".
Ó bardo, eu estou tão fraca
e teu cabelo é tão negro,
eu vivo tão perturbada,
pensando com tanta força
meu pensamento de amor,
que já nem sinto mais fome,
o sono fugiu de mim. Me dão mingaus,
caldos quentes, me dão prudentes conselhos
e eu quero é a ponta sedosa do teu bigode atrevido,
a tua boca de brasa, Antônio, as nossas vidas ligadas.
Antônio lindo, meu bem,
ó meu amor adorado,
Antônio, Antônio.
Para sempre tua.

MEDIEVO

Senhor meu amo, escutai-me,
a donzela espera por vós, no balcão.
Cuidai que não acorde os fâmulos
a paixão que estremece o vosso peito.
Os galgos estão inquietos, a alimária pateia.
Rogo-vos que vos apresseis.

UM JEITO

Meu amor é assim, sem nenhum pudor.
Quando aperta eu grito da janela
– ouve quem estiver passando –
ô fulano, vem depressa.
Tem urgência, medo de encanto quebrado,
é duro como osso duro.
Ideal eu tenho de amar como quem diz coisas:
quero é dormir com você, alisar seu cabelo,
espremer de suas costas as montanhas pequenininhas
de matéria branca. Por hora dou é grito e susto.
Pouca gente gosta.

CONFEITO

Quero comer bolo de noiva,
puro açúcar, puro amor carnal
disfarçado de coração e sininhos:
um branco, outro cor-de-rosa,
um branco, outro cor-de-rosa.

FATAL

Os moços tão bonitos me doem,
impertinentes como limões novos.
Eu pareço uma atriz em decadência,
mas, como sei disso, o que sou
é uma mulher com um radar poderoso.
Por isso, quando eles não me veem
como se me dissessem: acomoda-te no teu galho,
eu penso: bonitos como potros. Não me servem.
Vou esperar que ganhem indecisão. E espero.
Quando cuidam que não,
estão todos no meu bolso.

AMOR FEINHO

Eu quero amor feinho.
Amor feinho não olha um pro outro.
Uma vez encontrado é igual fé,
não teologa mais.
Duro de forte o amor feinho é magro, doido por sexo
e filhos tem os quantos haja.
Tudo que não fala, faz.
Planta beijo de três cores ao redor da casa
e saudade roxa e branca,
da comum e da dobrada.
Amor feinho é bom porque não fica velho.
Cuida do essencial; o que brilha nos olhos é o que é:
eu sou homem você é mulher.
Amor feinho não tem ilusão,
o que ele tem é esperança:
eu quero amor feinho.

PARA CANTAR COM O SALTÉRIO

Te espero desde o acre mel de marimbondos da minha
[juventude.
Desde quando falei, vou ser cruzado, acompanhar
[bandeiras,
ser Maria Bonita no bando de Lampião, Anita ou Joana,
desde as brutalidades da minha fé sem dúvidas.
Te espero e não me canso, desde, até agora e para sempre,
amado que virá para pôr sua mão na minha testa
e inventar com sua boca de verdade
o meu nome para mim.

BRIGA NO BECO

Encontrei meu marido às três horas da tarde
com uma loura oxidada.
Tomavam guaraná e riam, os desavergonhados.
Ataquei-os por trás com mão e palavras
que nunca suspeitei conhecer.
Voaram três dentes e gritei, esmurrei-os e gritei,
gritei meu urro, a torrente de impropérios.
Ajuntou gente, escureceu o sol,
a poeira adensou como cortina.
Ele me pegava nos braços, nas pernas, na cintura,
sem me reter, peixe-piranha, bicho pior, fêmea-ofendida,
uivava.
Gritei, gritei, gritei, até a cratera exaurir-se.
Quando não pude mais fiquei rígida,
as mãos na garganta dele, nós dois petrificados,
eu sem tocar o chão. Quando abri os olhos,
as mulheres abriam alas, me tocando, me pedindo
[graças.
Desde então faço milagres.

CANÇÃO DE AMOR

Veio o câncer no fígado, veio o homem
pulando da cama no chão e andando
de gatinhas, gritando: 'me deixa, gente,
me deixa', tanta era sua dor sem remédio.
Veio a morte e nesta hora H, a camisa sem botão.
Eu supliquei: eu prego, gente, eu prego,
mas, espera, deixa eu chorar primeiro.
Ah, disseram Marta e Maria, se estivésseis aqui,
nosso irmão não teria morrido. Espera, disse Jesus,
deixa eu chorar primeiro.
Então se pode chorar? Eu posso então?
Se me perguntassem agora da alegria da vida,
eu só tinha a lembrança de uma flor miudinha.
Pode não ser só isso, hoje estou muito triste,
o que digo, desdigo. Mas a Palavra de Deus
é a verdade. Por isso esta canção tem o nome que tem.

PARA O ZÉ

Eu te amo, homem, hoje como
toda vida quis e não sabia,
eu que já amava de extremoso amor
o peixe, a mala velha, o papel de seda e os riscos
de bordado, onde tem
o desenho cômico de um peixe – os
lábios carnudos como os de uma negra.
Divago, quando o que quero é só dizer
te amo. Teço as curvas, as mistas
e as quebradas, industriosa como abelha,
alegrinha como florinha amarela, desejando
as finuras, violoncelo, violino, menestrel
e fazendo o que sei, o ouvido no teu peito
para escutar o que bate. Eu te amo, homem, amo
o teu coração, o que é, a carne de que é feito,
amo sua matéria, fauna e flora,
seu poder de perecer, as aparas de tuas unhas
perdidas nas casas que habitamos, os fios
de tua barba. Esmero. Pego tua mão, me afasto, viajo
pra ter saudade, me calo, falo em latim pra requintar
[meu gosto:

"Dize-me, ó amado da minha alma, onde apascentas
o teu gado, onde repousas ao meio-dia, para que eu não
ande vagueando atrás dos rebanhos de teus
[companheiros".
Aprendo. Te aprendo, homem. O que a memória ama
fica eterno. Te amo com a memória, imperecível.
Te alinho junto das coisas que falam
uma coisa só: Deus é amor. Você me espicaça como
o desenho do peixe da guarnição de cozinha, você me
[guarnece,
tira de mim o ar desnudo, me faz bonita
de olhar-me, me dá uma tarefa, me emprega,
me dá um filho, comida, enche minhas mãos.
Eu te amo, homem, exatamente como amo o que
acontece quando escuto oboé. Meu coração vai
[desdobrando
os panos, se alargando aquecido, dando
a volta ao mundo, estalando os dedos pra pessoa e
[bicho.
Amo até a barata, quando descubro que assim te amo,
o que não queria dizer amo também, o piolho. Assim,
te amo do modo mais natural, vero-romântico,
homem meu, particular homem universal.
Tudo que não é mulher está em ti, maravilha.
Como grande senhora vou te amar, os alvos linhos,
a luz na cabeceira, o abajur de prata;

como criada ama, vou te amar, o delicioso amor:
com água tépida, toalha seca e sabonete cheiroso,
me abaixo e lavo teus pés, o dorso e a planta deles
eu beijo.

A SARÇA ARDENTE
I

Uma chama de fogo saía do meio de uma sarça que ardia sem se consumir.

ESCRITO NO ÊXODO

JANELA

Janela, palavra linda.
Janela é o bater das asas da borboleta amarela.
Abre pra fora as duas folhas de madeira à toa pintada,
janela jeca, de azul.
Eu pulo você pra dentro e pra fora, monto a cavalo
[em você,
meu pé esbarra no chão.
Janela sobre o mundo aberta, por onde vi
o casamento da Anita esperando neném, a mãe
do Pedro Cisterna urinando na chuva, por onde vi
meu bem chegar de bicicleta e dizer a meu pai:
minhas intenções com sua filha são as melhores
[possíveis.
Ô janela com tramela, brincadeira de ladrão,
claraboia na minha alma,
olho no meu coração.

EPIFANIA

Você conversa com uma tia, num quarto.
Ela frisa a saia com a unha do polegar e exclama:
'assim também, deus me livre'.
De repente acontece o tempo se mostrando,
espesso como antes se podia fendê-lo aos oito anos.
Uma destas coisas vai acontecer:
um cachorro late,
um menino chora ou grita,
ou alguém chama do interior da casa:
'o café está pronto'.
Aí, então, o gerúndio se recolhe
e você recomeça a existir.

CHORINHO DOCE

Eu já tive e perdi
uma casa,
um jardim,
uma soleira,
uma porta,
um caixão de janela com um perfil.
Eu sabia uma modinha e não sei mais.
Quando a vida dá folga, pego a querer
a soleira,
o portal,
o jardim mais a casa,
o caixão de janela e aquele rosto de banda.
Tudo impossível,
tudo de outro dono,
tudo de tempo e vento.
Então me dá choro, horas e horas,
o coração amolecido como um figo na calda.

O VESTIDO

No armário do meu quarto escondo de tempo e traça
meu vestido estampado em fundo preto.
É de seda macia desenhada em campânulas
[vermelhas
à ponta de longas hastes delicadas.
Eu o quis com paixão e o vesti como um rito,
meu vestido de amante.
Ficou meu cheiro nele, meu sonho, meu corpo ido.
É só tocá-lo, e volatiliza-se a memória guardada:
eu estou no cinema e deixo que segurem minha mão.
De tempo e traça meu vestido me guarda.

A CANTIGA

"Ai cigana, ciganinha,
ciganinha meu amor."
Quando escutei essa cantiga
era hora do almoço, há muitos anos.
A voz da mulher cantando vinha de uma cozinha,
ai ciganinha, a voz de bambu rachado
continua tinindo, esganiçada, linda,
viaja pra dentro de mim, o meu ouvido cada vez melhor.
Canta, canta, mulher, vai polindo o cristal,
canta mais, canta que eu acho minha mãe,
meu vestido estampado, meu pai tirando boia da
[panela,
canta que eu acho minha vida.

DONA DOIDA

Uma vez, quando eu era menina, choveu grosso,
com trovoada e clarões, exatamente como chove agora.
Quando se pôde abrir as janelas,
as poças tremiam com os últimos pingos.
Minha mãe, como quem sabe que vai escrever um
[poema,
decidiu inspirada: chuchu novinho, angu,
[molho de ovos.
Fui buscar os chuchus e estou voltando agora,
trinta anos depois. Não encontrei minha mãe.
A mulher que me abriu a porta riu de dona tão velha,
com sombrinha infantil e coxas à mostra.
Meus filhos me repudiaram envergonhados,
meu marido ficou triste até a morte,
eu fiquei doida no encalço.
Só melhoro quando chove.

VEROSSÍMIL

Antigamente, em maio, eu virava anjo.
A mãe me punha o vestido, as asas,
me encalcava a coroa na cabeça e encomendava:
'canta alto, espevita as palavras bem'.
Eu levantava voo rua acima.

A MENINA DO OLFATO DELICADO

Quero comer não, mãe
(no canto do fogão o caldeirão esmaltado)
quero comer não, mãe
(arroz com feijão, macarrão grosso)
quero comer não, mãe
(sem massa de tomate)
quero comer não, mãe
(com gosto de serragem)
quero comer não, mãe
(com cheiro de carbureto)
quero comer não,
(vi um gato no caminho, fervendo de bicho)
quero comer não, mãe
(quando inaugurar a luz elétrica e o pai
consumir com o gasômetro, eu como).
Vamos ficar no escuro, mãe. Põe lamparina,
põe gasômetro não, o azul dele tem cheiro,
o cheiro entra na pele, na comida, no pensamento,
toma a forma das coisas. Quando a senhora tem
raiva sem xingar é igual a ruindade do gasômetro,
a azuleza dele. Vomito mãe. Vou comer agora não.
Vou esperar a luz elétrica.

CARTONAGEM

A prima hábil, com tesoura e papel, pariu a mágica:
emendadas, brincando de roda, 'as neguinhas
[da Guiné'.
Minha alma, do sortilégio do brinquedo, garimpou:
eu podia viver sem nenhum susto.
A vida se confirmava em seu mistério.

A FLOR DO CAMPO

Mais que a amargosa pétala mastigada,
seu aspro odor e seiva azeda,
a lembrança antiga das camadas do sono:
há muito tempo, foi depois da missa,
eu e mais duas tias num caminho, as pernas delas
na frente, com meia grossa e saias.
No ar os cheiros do mato, as palavras cordiais,
o céu pra onde íamos, azul,
conforme as palavras de Nosso Senhor,
os lírios do campo, olhai-os,
a flor do mato, a infância.

REGISTRO

Visíveis no facho de ouro jorrado porta adentro,
mosquitinhos, grãos maiores de pó.
A mãe no fogão atiça as brasas
e acende na menina o nunca mais apagado da
[memória:
uma vez banqueteando-se, comeu feijão com arroz
mais um facho de luz. Com toda fome.

Joaquim João era artista de teatro.
Dava as mãos a Julietinha Marra e cantava
['adeus-amor'.
Fiquei picada de inquieto mel.
Às onze Joaquim subia do serviço
com o paletó jogado num ombro só. Escondida eu
[cantava
'adeus-amor', com direta intenção e longo fôlego.
Joaquim virava a cabeça ao esganiçado código
e eu cantava mais alto. Um dia, o melhor, se virou
[duas vezes.
Eu descia da árvore, macaca sentimental, e ia
fazer xixi na calcinha, só para experimentar,
desenhar cinco salamão, rezar o anjo
do Senhor anunciou a Maria e ela concebeu,
o que era igual Letícia vindo brincar,
o hálito saborosíssimo de concebolas.

REBRINCO

As primas vinham ensaboar as de missa.
Enchiam a bacia de espuma, Tialzi cuspia dentro,
ai que nojo. Mesmo assim, tão bonito!
As calcinhas de Tialzi amarelavam no fundo,
dois, três dias na grama, marronzavam.
Eu andava em círculos, escutava conversa,
interrogava com apertada atenção.
Quando de tão calada me notavam, eram as pragas.
Tão boas, tão como devem ser que eu desinteressava,
ia chamar Letícia pra brincar.
Medo que eu tinha era não ter mistério.

ENSINAMENTO

Minha mãe achava estudo
a coisa mais fina do mundo.
Não é.
A coisa mais fina do mundo é o sentimento.
Aquele dia de noite, o pai fazendo serão,
ela falou comigo:
'coitado, até essa hora no serviço pesado'.
Arrumou pão e café, deixou tacho no fogo com água
[quente.
Não me falou em amor.
Essa palavra de luxo.

A SARÇA ARDENTE II

Tira as sandálias de teus pés, porque a terra em que estás é uma terra sagrada.
ESCRITO NO ÊXODO

O HOMEM PERMANECIDO

Era uma vez
uma venta fremente e um duro queixo.
Era uma vez um pisado de levantar pedra e poeira.
O que chamam de morte devastou com as narinas,
[o maxilar,
o dorso dos pés e sua planta.
Sobrou um gesto reto no espaço, a fremência,
um modo de passos e voz.
Eu lembro coisas que acontecerão:
era uma vez um homem que está rijo e cantante,
sem o espírito e a lei da gravidade,
alegre de nenhuma ameaça.

INSÔNIA

O homem vigia.
Dentro dele, estumados,
uivam os cães da memória.
Aquela noite, o luar
e o vento no cipó-prata e ele,
o medo a cavalo nele,
ele a cavalo em fuga
das folhas do cipó-prata.
A mãe no fogão cantando,
os zangões, a poeira, o ar anímico.
Ladra seu sonho insone,
em saudade, vinagre e doçura.

FÉ

Uma vez, da janela, vi um homem
que estava prestes a morrer,
comendo banana amassada.
A linha do seu queixo era já de fronteiras,
mas ele não sabia, ou sabia?
Como posso saber?
Comia, achando gostoso,
me oferecendo corriqueiro, todavia
inopinado perguntou
– ou perguntou comum como das outras vezes? –
Como será a ressurreição da carne?
É como nós já sabemos, eu lhe disse,
tudo como é aqui, mas sem as ruindades.
Que mistério profundo!, ele falou
e falou mais, graças a Deus,
pousando o prato.

EPISÓDIO

Ele tinha o costume de gesticular seu pensamento,
de sorte que estar parado era já ter compreendido
ou não ter dúvidas. Foi um abalo enorme quando
[se deu o que conto,
porque ultimamente ocupava a compreensão em
[tomar os remédios,
não comer sal, medir cor e volume de sua urina difícil.
Sem que ninguém suspeitasse ficou em pé na sala
e começou a cantar, pondo e tirando da jarra o galhinho
[de flor,
a voz como antes, firme, alta, grossa, anterior
a qualquer debilidade do seu corpo.
Um susto às avessas do susto foi o nosso,
porque a barriga dele continuava altíssima e alagava a
[mina
rompida de sua perna. Fugimos como nas guerras.
Um de nós foi chorar na privada, outro no quintal,
eu inventei uma barata pra matar com um chinelo.
A alegria dele desertava, quase, do que fosse
uma alegria humana e não estávamos à altura
[de entendê-la.
Sofrer era muito mais fácil.

O RETRATO

Eu quero a fotografia,
os olhos cheios d'água sob as lentes,
caminhando de terno e gravata,
o braço dado com a filha.
Eu quero a cada vez olhar e dizer:
estava chorando. E chorar.
Eu quero a dor do homem na festa de casamento,
seu passo guardado, quando pensou:
a vida é amarga e doce?
Eu quero o que ele viu e aceitou corajoso,
os olhos cheios d'água sob as lentes.

O REINO DO CÉU

Depois da morte
eu quero tudo o que seu vácuo abrupto
fixou na minha alma.
Quero os contornos
desta matéria imóvel de lembrança,
desencantados deste espaço rígido.
Como antes, o jeito próprio
de puxar a camisa pela manga
e limpar o nariz.
A camisa engrossada de limalha de ferro mais
o suor, os dois cheiros impregnados,
a camisa personalíssima atrás da porta.
Eu quero depois, quando viver de novo,
a ressurreição e a vida escamoteando
o tempo dividido, eu quero o tempo inteiro.
Sem acabar nunca mais, a mão socando o joelho,
a unha a canivete – a coisa mais viril que eu conheci.
Eu vou querer o prato e a fome,
um dia sem tomar banho,
a gravata pro domingo de manhã,
a homilia repetida antes do almoço:

‘conforme diz o Evangelho, meus filhos, se
tivermos fé, a montanha mudará de lugar’.
Quando eu ressuscitar, o que quero é
a vida repetida sem o perigo da morte,
os riscos todos, a garantia:
à noite estaremos juntos, a camisa no portal.
Descansaremos porque a sirene apita
e temos que trabalhar, comer, casar,
passar dificuldades, com o temor de Deus,
para ganhar o céu.

UMA FORMA DE FALAR E DE MORRER

Ele tinha um modo de falar a palavra inabalável.
O 'l' final concluído à moda dos holandeses
que pregaram pra nós, catecismo, missões, missas
[dominicais.
'Inabalável certeza', 'inabalável fé', 'poder inabalável'.
Quando usava esta forte palavra, não a dizia
com a boca de quem come as perecíveis matérias,
ou nomeia o que julga indigno do seu falar, melhor,
por serem as comuns coisas:
malho, bigorna, ferro, o encarregado, o chefe.
'Inabalável',
a língua demorando na base superior dos dentes,
a doutrina exigente necessitando de um mais
[puro som,
conforme o que exprimia, coisas de Deus,
eternas coisas aterradoras de tão impossível mácula.
Quando a vida abalável enrijeceu seu queixo,
a língua paralisada conformou-se roxa,
a ponta voltada para a raiz dos dentes,
inabalável.

MODINHA

Quando eu fico aguda de saudade eu viro só ouvido.
Encosto ele no ar, na terra, no canto das paredes,
pra escutar nefando, a palavra nefando.
Um homem que já morreu cantava "a flor mimosa
desbotar não pode, nem mesmo o tempo
de um poder nefando" – mais dolorido canta
quem não é cantor.
A alma dele zoando de tão grave, tocável
como o ar de sua garganta vibrando.
No juízo final, se Deus permitisse,
eu acordava um morto com este canto,
mais que o anjo com sua trombeta.

A POESIA

Recita "Eu tive um cão", depois "Morrer dormir",
[ele dizia.
Eu recitava toda poderosa.
'Eh trem!', ele falava, guturando a risada, os olhos
amiudados de emoção, e começava a dele:
"Estrela, tu estrela, quando tarde, tarde, bem tarde,
brilhaste e volveste o teu olhar para o passado,
recordas-te e dirás com saudade: sim, fui mesmo
[ingrato.
Mas tu lembrarás que a primavera passa e depois volta
e a mocidade passa e não volta mais".
A última palavra, sufocada. O que estava embaçado
eram seus óculos. Ó meu pai, o que me davas então?
Comida que mata a fome e mais outras fomes traz?
Eu hoje faço versos de ingrato ritmo.
Se os ouvisses por certo me dirias com estranheza
[e amor:
'Isso, Delão, isso!' O bastante para eu começar
[recompensada:
Agora as boas, pai, agora as boas:
"Eu tive um cão", "Estrela, tu estrela".
"Morrer dormir, jamais termina a vida",
jamais, jamais, jamais.

FIGURATIVA

O pai cavando o chão mostrou pra nós,
com o olho da enxada, o bicho bobo,
a cobra de duas cabeças.
Saía dele o cheiro de óleo e graxa,
cheiro-suor de oficina, o brabo cheiro bom.
Nós tínhamos comido a janta quente
de pimenta e fumaça, angu e mostarda.
Pisando a terra que ele desbarrancava aos socavões,
catava tanajuras voando baixo,
na poeira de ouro das cinco horas.
A mãe falou pra mim: 'vai na sua avó buscar polvilho,
vou fritar é uns biscoitos pra nós'.
A voz dela era sem acidez. 'Arreda, arreda',
o pai falava com amor.
As tanajuras no sol, a beira da linha,
o verde do capim espirrando entre os tijolos
da beirada da casa descascada, a menina
[embaraçada
com a opressão da alegria, o coração doendo,
como se triste fosse.

O SONHO

O reconheci na fração do meu nome,
me chamou como em vida,
a partir da tônica:
'Délia, vem cá'.
Peguei nos pés do catre,
onde jazia sã sua cara doente,
e o fui arrastando por corredores cheios
de médicos, seringas e uniformes brancos.
Depois foi o dia inteiro o peito comprimido,
sua voz no meu ouvido, seus olhos
como só os dos mortos olham
e a esperança, em puro desconforto
e ânsia.

PARA PERPÉTUA MEMÓRIA

Depois de morrer, ressuscitou
e me apareceu em sonhos muitas vezes.
A mesma cara sem sombras, os graves da fala
em cantos, as palavras sem pressa,
inalterada, a qualidade do sangue,
inflamável como o dos touros.
Seguia de opa vermelha, em procissão,
uma banda de música e cantava.
Que cantasse, era a natureza do sonho.
Que fosse alto e bonito o canto, era sua matéria.
Aconteciam na praça sol e pombos
de asa branca e marrom que debandavam.
Como um traço grafado horizontal,
seu passo marcial atrás da música,
o canto, a opa vermelha, os pombos,
o que entrevi sem erro:
a alegria é tristeza,
é o que mais punge.

AS MORTES SUCESSIVAS

Quando minha irmã morreu eu chorei muito
e me consolei depressa. Tinha um vestido novo
e moitas no quintal onde eu ia existir.
Quando minha mãe morreu, me consolei mais lento.
Tinha uma perturbação recém-achada:
meus seios conformavam dois montículos
e eu fiquei muito nua,
cruzando os braços sobre eles é que eu chorava.
Quando meu pai morreu, nunca mais me consolei.
Busquei retratos antigos, procurei conhecidos,
parentes, que me lembrassem sua fala,
seu modo de apertar os lábios e ter certeza.
Reproduzi o encolhido do seu corpo
em seu último sono e repeti as palavras
que ele disse quando toquei seus pés:
'deixa, tá bom assim'.
Quem me consolará desta lembrança?
Meus seios se cumpriram
e as moitas onde existo
são pura sarça ardente de memória.

ALFÂNDEGA

ALFÂNDEGA

O que pude oferecer sem mácula foi
meu choro por beleza ou cansaço,
um dente exraizado,
o preconceito favorável a todas as formas
do barroco na música e o Rio de Janeiro
que visitei uma vez e me deixou suspensa.
'Não serve', disseram. E exigiram
a língua estrangeira que não aprendi,
o registro do meu diploma extraviado
no Ministério da Educação, mais taxa sobre vaidade
nas formas aparente, inusitada e capciosa – no que
estavam certos – porém dá-se que inusitados e
[capciosos
foram seus modos de detectar vaidades.
Todas as vezes que eu pedia desculpas diziam:
'Faz-se educado e humilde, por presunção',
e oneravam os impostos, sendo que o navio partiu
enquanto nos confundíamos.
Quando agarrei meu dente e minha viagem ao Rio,
pronto a chorar de cansaço, consumaram:
'Fica o bem de raiz pra pagar a fiança'.
Deixei meu dente.
Agora só tenho três reféns sem mácula.

SUMÁRIO

O MODO POÉTICO

Este livro foi composto
na tipografia Gambetta,
em corpo 10,8/15, e impresso
em papel Pólen Bold 90 g/m²,
na gráfica Ipsis.

SERVA DA ESPERANÇA

"*Me ajuda a parir esta ninhada de vozes, / me ajuda, senão / este conluio de sombras me sequestra, / me rouba o olho antigo e a paixão viva.*" De repente, no murmúrio da alma, me flagrei recitando intimamente essas orações dela, como um prenúncio. É noite. Me enfiei nos versos de Adélia relendo eufórica e calma. Uma imersão. Me sinto como que grávida, a alma túrgida de palavras e sinapses poéticas de difícil escapatória. Caí num mundo vasto e específico, universal e do interior. Me sinto incumbida, convocada. Estou como que perturbada, acionada por certo estresse que a euforia da felicidade traz e, agora, estou à beira de parir não sei que pontes, gerar não sei que travessias, provocadas e pavimentadas pelas linhas dos poemas dela. Guardo a honra de trazer uma grande maioria deles confortavelmente instalada em minha sala de memória à espera de um único suspiro associativo despertado por qualquer pequena ou grande palavra para atirar-me à sua casa, lançar-me ao seu colo. Basta um pequeno verbo "*e volatiliza-se a memória guardada*"!

O que será que essa mulher faz? Que alquimia realiza? Trama com os versos de tal modo que chega a doer. Dói de bom. Provoca ferimento a dramaturgia poética de sua teia. Corajosa, trilhando no abismo sobre o fio tênue de uma estética de contrários ornada de surpreendentes matizes, essa mulher nos leva com determinação a ser sua vizinha, amiga da missa, da reza, sua mãe, seu pai, seus amores, e nós ali, seus leitores, abduzidos e apaixonados pela realidade aumentada do território de sua invenção. E assim vamos com ela nos velórios, nas tardes, nas manhãs no roseiral com o Zé, seu amor real de toda uma vida.

Uma vez, em um encontro de verdade na sua casa em Divinópolis, José Assunção Freitas, seu companheiro dedicado, fiel digitador de seus manuscritos, me disse, e creio não haver nenhuma indiscrição em revelar aqui: "Quando eu era novo queria ser piloto. Não fui e sou. Porque viver ao lado de Adélia é uma espécie de voo maravilhoso! Só não sei quem é que pilota mesmo, tô achando que não sou eu não..." Não sei se foram exatas essas palavras, uma vez que as memórias das conversas corriqueiras, como não estão, em geral, escritas em alguma tábua ou caderno, resultam mais expostas às invenções involuntárias, quase inconscientes que, inocentes ou não, se apoiam no popular “quem conta um conto aumenta um ponto”. Mas o que nos serve agora é a alta potência substancial que tem a asa da poesia tão mágica, tão sofisticada e ao mesmo tempo simples da Adélia Prado. Uma linda senhora capaz de altíssimos voos e de insuspeitadas liberdades que passam, sem deixar vestígios, na cara dos guardas, na frente da tropa, e ninguém vê. “*Eu sou de barro e oca. / Eu sou barroca*”, ela mesma diz num poema não sem razão intitulado “Gênero”, no seu livro *O coração disparado*, e é assim: artesanal, detalhista, gaiata, crua, nebulosa, sintética e estranhamente eloquente à medida que nos leva para dentro dos poemas circundados por todas as alegorias que seu olhar nos traz. Tudo que escreve se transforma em profunda materialidade. É como uma transmutação. Vem para dentro do poema tudo, todas as paisagens, as cenas, todas as colheitas do seu olhar vêm com tudo tridimensional, encharcadas de cheiros, cores, texturas, formas, sons. Essa barroca é incinerável, afirma que por dentro é feita de palha, incendiável. E com esse amor incandescente cria mundos do que vê: “*Inauguro linhagens, fundo reinos / — dor não é amargura. / Minha tristeza não tem pedigree, / já a minha vontade de alegria, / sua raiz vai ao meu mil avô.*” Estes foram os versos inaugurais pelos quais o Brasil começou a conhecê-la. Convicta de sua ancestralidade mais remota, a filósofa poeta mineira também nos conduz em segurança à sua folia, à sua adorável loucura, mostrando muito das arestas, das frestas, dos espinhos de um espírito incandescente.

Caminho nessa floresta e é transformador, arrebatador, inacreditável! Que campo minado é este o do poema?! Há muitos anos, na Casa Poema, usamos sua obra nas aulas de poesia falada, são ótimas para a reinauguração do dizer poético. E tivemos ainda a honra, eu e Geovana Pires, de representar e roteirizar no teatro *A paixão segundo Adélia Prado*, uma pesquisa do poder do amor erótico e ao mesmo tempo sacro dentro de sua prosa e verso. Foi um impressionante mergulho em caldeirão fervente e calmos rios em que nos deparamos com sua poesia absolutamente incrustada em sua prosa. São indivisíveis. Para nosso deleite, a matéria da prosa adeliana é feita de pura poesia. Trago a impressão de nunca mais ter retornado totalmente de tal viagem ao país profundo de sua obra completa até aqui. No entanto, tudo é novo de novo. Pesco velhos-peixes-versos-novos. De que magia alquímica é composto o acontecimento poético? Quem nos dirá? Assim como as miudezas do chão são grandezas para o poeta pantaneiro Manoel de

Barros, como o sertão é riqueza e fortuna idiossincrásica para Guimarães Rosa, Adélia Prado faz da memória um rio, um mar específico para sua procura, para uso de seu escafandro, opera em pântanos da alma onde não sobreviveríamos sem o devido equipamento poético, nós os mortais. Ela encontra seu existencialismo garimpeiro no manancial dos dias. Nos traz esse memorial, nos observa, ainda que, de maneira apócrifa, faça a sua procissão por nossas ruas, com velas e véus, tratando nossos corações pelo que são, tambores.

Tudo acontece em Divinópolis, mas é no mundo inteiro. Quando vi Fernanda Montenegro dizendo Adélia, vivendo Adélia no palco, foi um estrondo no meu peito. A fúria da beleza fazendo seu trabalho em minha alma! Tudo parecia brotar dela e ninguém duvidava. Essa atriz majestosa, ao colocar tão popularmente com tanto sucesso a obra de Adélia nos palcos, fez um encontro epistêmico entre a sofisticada e aparentemente erudita obra adeliana e o público em geral. O que quero dizer é que sua poesia é shakespeariana, no sentido de que seus personagens são muito nítidos, parecem pertencer a uma dramaturgia específica, a uma peça, um filme, uma novela. Quem lê Adélia conhece Ofélia, Pedro, tia Auzi, tia

Cininha, tia Quita, tio Emílio e outros parentes. Quem lê Adélia sente nas páginas o perfume dos manacás. Conhece o amor pelo seu homem e, principalmente, quem lê Adélia crê em Jonathan como cremos em Hamlet, com materialidade. Nós os citamos em meio à manada dos dias numa conversa na hora da janta, como se diz em Minas Gerais e no Espírito Santo. São cenas naturalmente teatrais. Existe ação no existencialismo desta poeta. É muito impressionante como o espetáculo *Dona doida* representou tantas mulheres! A metafísica da dona de casa, os fundamentos do feminino que escreve a própria história, o novelo imenso filosófico da alma de uma mulher, tudo aquilo apresentou-se, já naquele momento, como tradutor de muitas diversas almas. Os versos de Adélia ditos por Fernanda Montenegro pareciam ser de Fernanda! Mas como, se a poesia é de natureza confessional? Não há o que fazer. É. Desabafa-se. Derrama-se. É confissão que procura verdade e beleza para se constituir. São ingredientes. Ainda que a gente não queira. Mesmo quando o poeta finge ser outro, segue sendo confessional. É dele o olhar transmutado no outro, mimetizado por dentro e por fora no outro, como tomado por uma invencível e empática metamorfose que o transformasse, durante a feitura do verso, em outro ser. Afinal, o poeta tem o coração do tamanho do mundo e ela vê como uma missão e já vaticina no primeiro livro, em "Anunciação ao poeta": "*Da parte do Altíssimo te concedo / que não descansarás e tudo te ferirá de morte: / o lixo, a catedral e a forma das mãos.*" Está fadada a sentir tudo. O coração do poeta é mesmo do tamanho do "*vasto mundo*", já dizia Drummond, esse poema mineiro em forma de gente, e o identificador da riqueza. Sim, o primeiro que nos recomendou Adélia Luzia Prado de Freitas. Seu nascimento para nós, na vida literária brasileira, deve-se a uma confraria alquímica mineira escrita pelo destino. O poeta Affonso Romano de Sant'Anna, ao se deparar com sua obra, sem titubear a enviou a Carlos Drummond de Andrade, que fez o prefácio de *Bagagem*, seu primeiro livro. A estreia literária vem recheada de sabedoria veterana e da atenção de pensadores contemporâneos do poeta itabirano. Era uma poeta estreante estonteante; pessoalmente discreta e muito segura de sua invenção poética, única. Tinha 40 anos e uma misteriosa beleza sábia que a acompanha sempre. É dela essa beleza. Só ela a pode portar. Adélia, nunca mais achei cerca, limite ou saída de seus prados.

Tendo vários versos seus tatuados no coração, convidar a todos agora às leituras destes quatro livros de sua safra poética muitas vezes se configura, como processo narrativo, em forma de insights, lampejos, iluminações, disparos, links, epifanias. Do nada, um poema vem acercar-se de mim; ora como galanteador, como um rapaz que, sem saber que sou comprometida, deita seus olhos sobre mim ao mesmo tempo que recolhe o meu olhar em sua direção e se destaca, se exibe todo para mim; ora como uma criança sem nome ainda, ou órfã, ou mesmo alegre que, em volta de mim, exerce sua guirlanda inocente, e estou com ela à beira do rio. Sou a própria Adélia menina no dia em que sua mãe fez piquenique nas margens... "*Ela fez bola de carne / pra gente comer com pão. / Lembro a volta do rio / e nós na areia. / Era domingo, / ela estava sem fadiga / e me respondia com doçura. / Se for só isso o céu, / está perfeito*", assim descreve em "*Mater dolorosa*". Incrível, guardo esse poema no meu peito, como se eu tivesse mesmo feito esse piquenique. Escrevo neste momento em alta velocidade, como se o que agora me ocorre tivesse a precipitação das chuvas, a ajuda da gravidade. Me sinto impelida, obediente, não sou eu que escrevo isto, exerço partitura, cumpro ordens. São os poeminhas de Adélia meus vetores para a tessitura destas linhas. É neste prado que o poema acontece. Quem escreve sabe que o acontecimento poético é uma aflição que se impõe. A inspiração é praticamente uma armadilha, não há escapatória. Só há salvação no poema. *"Poema nasce igual a menino, lambuzado, é sebo e sangue."* O bichinho se inquieta como um fruto em qualquer parto, e precisa sair para que o conheçamos.

Para andarmos nos prados destes livros, vários poemas se apresentam conscientes da porteira aberta, seguros de sua liberdade. Não seguem uma lógica cronológica minhas observações. Essa guia o próprio leitor terá nesta edição especial, à mercê de sua curiosidade. É que não sou eu quem organiza o cardume, já entendi que a memória esparge as luzes de cada poema cumprindo um roteiro ininteligível para mim, sem no entanto lhes tirar a garantia de ser os vaga-lumes da estrada. Seus personagens, a toda hora, aparecem vivos à minha volta. Uma garotinha que, por exemplo, me pede carinho e estaca meu coração porque vem num verso assim: "*Pulou no rio a menina / cuja mãe não disse: minha filha. / Me consola, moço. / Fala uma frase, feita com meu nome, / para que ardam os crisântemos / e eu tenha um feliz natal! (...) / A vida não vale nada, / por isso gastei meus bens, / fiz um grande banquete e este vestido. / Olha-me para que ardam os crisântemos / e morra a puta / que pariu minha tristeza.*" É muito difícil não sentirmos a porrada desse poema que a mestra batizou de "Contra o muro".

A primeira vez que li "Ex-voto", em *Oráculos de maio*, me deu leve fraqueza nas pernas. Uma espécie de fina vertigem. O que era aquilo? Ascendeu-me à sala do espanto e me levou a uma nova gênesis da religião católica. Valeu muito mais do que tantos anos em colégios de freiras. Compreendi melhor as camadas do rito por causa de Adélia. Perdoei as guerras colonialistas da história em que a Igreja esteve envolvida, aliviei até algumas mágoas históricas quando pude ser apócrifa e era ela quem me revelava certa nova escritura. O danado do poema nos leva à sala de ex-votos que sempre me atraiu e assombrou na infância. Tinha medo. A mais famosa era a do Convento da Penha em terras capixabas. Guardo a memória do cheiro do sombrio ambiente. O poema foi a senha. Vejo tudo. A sala vibra repleta de grinaldas postas ali para confirmar a graça alcançada pelo voto de confiança dado a Deus, ou àquela entidade a quem se confiou o desejo de casar, ou à perna quebrada que ficou boa e é representada pela muleta posta ali como graça alcançada. "Ex-voto" fez em mim essa arqueologia, que é o que o poema da Adélia faz: escava, escava. É isso que a poeta Hilda Hilst fundamenta quando diz "*Metal algum pode cavar mais do que a pá da palavra*". E então, quando você já está capturado por essa espécie de capela de horrores, em meio a imagens de acidentados, de cabeças quebradas, com as fotografias trágicas entremeadas por braços de ceras entre capacetes e cadeiras de rodas, é que surge a beleza desse poema. Há fé e paixão ali. O sentimento muda. Fui caminhando com a poeta por essa urdidura dos versos e caí dentro dessa verdade simbólica tão visceral de tal modo que chorei ali, antes de compreender. Particularmente, acredito nesse fenômeno como um ofício específico que a poesia dela faz em nós. Através da palavra alcança nossos recônditos sem pedir licença, e só nos damos conta quando já está dominante dentro de nós, fazendo aquela desordem estonteante da força da beleza, contundência. Aí já estamos em prantos, e só depois, fora do transe, é que vamos reler o poema para entender o que aconteceu. Às vezes é revelável, às vezes jamais saberemos explicar com palavras, mas já não somos os mesmos. Adélia é um grande mistério da poesia brasileira. Irrotulável, nos confunde. Quem pensa que se trata de uma mulher católica, certinha, não chegou a acertar. Quem pensa que ela é uma devota ortodoxa, não deixou de errar. É crítica, analisa dogmas, desorganiza a instituição. Sua fé é exuberante demais para os moralismos institucionais. Tem adoração por Deus e critica certos padres. Acha que a Igreja, o Reino de

Deus, está dentro de cada um. E faz a gente imaginar o papa vestido de baiana. É indomável. Sua fé tem pegada erótica, não há perdão específico talvez nos moldes mais tradicionais. Mas há nessa mesma fé uma confiança imensa em Deus, nesse poder de perdoar os mais cabeludos pecados. "A gente sabendo que tem Deus pode pecar mais sossegado", afirma suave, mineira e jocosa aquela que tem na poesia seu anticorpo. Aquela que trabalha diuturnamente nos campos que gerem tempos sem guerras. "*A poesia, a mais ínfima, é serva da esperança.*"

É, sobretudo, uma fervorosa devota pagã. Não acredita que os alquimistas morreram, nem os mágicos, nem os tocadores de alaúde. "*Oh, engano! / A vida é eterna, irmãos, / aquietai-vos, pois, em vossas lidas, / louvai a Deus e reparti a côdea, / o boi, vosso marido e esposa / e sobretudo / e mais que tudo / a palavra sem fel*", ensina o poema "Homilia". Em algum lugar na sua prosa, a vi defender que da cintura para baixo o ser humano também é divino: "*Ou tudo é bento, ou nada é bento.*" É isso. A poeta assume no corpo sua adoração, sua consciência de criatura convocada ao louvor de seu Deus e a gente vê com clareza, embora muito misteriosamente tramado ao seu texto, seu gozo transcendental. Isso fica claro em vários poemas como em "O tesouro escondido": "*Em lama, excremento e secreção suspeitosa, / adoro-Vos, amo-Vos sobre todas as coisas.*" Tem consciência de que é criatura e mistura em sua mitologia o humano com o divino. Se reconhece pequena nas mãos d'Ele. E nos leva mais uma vez para sua original intimidade com Ele em "Filhinha": "*Deus não é severo mais, / suas rugas, sua boca vincada / são marcas de expressão / de tanto sorrir pra mim. / Me chama a audiências privadas, / me trata por Lucilinda, / só me proíbe coisas / visando meu próprio bem. / Quando o passeio / é à borda de precipícios, / me dá sua mão enorme. / Eu não sou órfã mais não.*" E, ao mesmo tempo, possui a dignidade de assumir suas contradições, sua independência, seus desejos, como em "Fieira": "*Posso me esforçar à vontade / que a letra não sai redonda. / Deus meu vê. / Não escrevo mais cartas, / só palavrões no muro: / Foda-se. Morra. / (...) Não paro de pensar em Jonathan. / Detesto escrita elegante. / As tragédias são doces. / Aprendi a falar desde pequeninha. / Tudo que digo é vaidade. / É impossível viver sem dizer eu, / palavra a Deus reservada. / Não sei como ser humana. / Saberei, se Jonathan me amar (...).*"

Nunca gostei de poema de poetas órfãos. Tinha medo da palavra morte. Não a escrevia. Temia que a morte ficasse sabendo e buscasse minha mãe e meu pai só porque escrevi, atraindo o desfecho. Então não o fazia. Não gostava de escrever sobre isso, não gostava de pensar que eles podiam morrer, e quando lia um livro de poesia que trazia na imagem da palavra um caixão, um cortejo, uma carpideira, luto e despedidas, pulava as homenagens, não queria saber – mesmo sendo os poetas responsáveis pelo meu ensino da compreensão do mundo, uma vez que passei a estudar declamação muito nova. Digamos que as opiniões dos poetas, também conhecidas como poemas, chegaram para mim como visões do mundo, antes de grandes filósofos. Pois bem, quando minha mãe morreu num trágico acidente automobilístico, fiquei sem chão e, em oco desamparo, fui beber imediatamente na fonte da poesia, implorei consolo em seus braços. Procurei, desesperada, como quem escarafuncha uma bíblia, procurei entre os poemas, poemas de poetas órfãos antes de fazer o meu, e encontrei "Orfandade": "*Meu Deus, / me dá cinco anos. / Me dá um pé de fedegoso com formiga preta, / me dá um Natal e sua véspera, / o ressonar das pessoas no quartinho. / Me dá a negrinha Fia pra eu brincar, / me dá uma noite pra eu dormir com minha mãe. / Me dá minha mãe, alegria sã e medo remediável, / me dá a mão, me cura de ser grande, / ó meu Deus, meu pai, / meu pai.*" Ah... Era como ter minha mãe de novo segurando no quentinho de minha mão, palma com palma, me levando com altivez a um caminho seguro. Só naquela hora, órfã enfim, é que eu cheguei à altura de perceber um poema póstumo, um réquiem. É Adélia Prado quem nos mergulha naquela verdade. Com seus poemas nos leva em conforto a uma extrema inquietude, a um lugar desconhecido e estranhamente reconhecível. Pode parecer delírio o que digo, mas o leitor de Adélia tem que estar disposto a novos sustos, revelações e, repito, epifanias. Toda hora há uma armadilhazinha, um céu ou uma cova muito bem-feita, disfarçada entre as folhagens de seus versos livres, para a gente cair. O "Poema esquisito", por exemplo, em que a poeta chora a morte dos pais, é impressionantemente renovador e revolucionário do ponto de vista católico do luto: "*Dói-me a cabeça aos trinta e nove anos. / Não é hábito. É rarissimamente que ela dói. / Ninguém tem culpa. / Meu pai, minha mãe descansaram seus fardos, / não existe mais o modo / de eles terem seus olhos sobre mim. / Mãe, ô mãe, ô pai, meu pai. Onde estão escondidos? / É dentro de mim que eles estão. / Não fiz mausoléu pra eles, pus os dois no chão. / Nasceu lá, porque quis, um pé de saudade roxa, / que abunda nos cemitérios. / Quem plantou foi o vento, a água da chuva. / Quem vai matar é o sol. / Passou finados não fui lá, aniversário também não. / Pra quê, se pra chorar qualquer lugar me cabe? / É de tanto lembrá-los que eu não vou. / Ôôôô pai / Ôôôô mãe / Dentro de mim eles respondem / tenazes e duros, / porque o zelo do espírito é sem meiguices: / Ôôôôi fia.*" Assim, renova o rito, reinaugura uma relação, acrescenta mais um véu ao próprio rito que ela desconstrói criando uma nova celebração, um louvor. Amo esse "Poema esquisito" como um caso de amor.

Nos versos de "A serenata", somos abduzidos para dentro de um portal, um mural, um roteiro. "*Uma noite de lua pálida e gerânios / ele viria com boca e mão incríveis / tocar flauta no jardim.*" De alguma maneira, identificamos na estética dessa cena uma textura de película e vemos tudo, absolutamente tudo pela janela do poema. Lá estão a noite e a espera, já que "ele" disse que viria. Entre esse parágrafo e o próximo há o abismo do tempo imenso da espera: "*Estou no começo do meu desespero / e só vejo dois caminhos: / ou viro doida ou santa. / Eu que rejeito e exprobo / o que não for natural como sangue e veias / descubro que estou chorando todo dia, / os cabelos entristecidos / a pele assaltada de indecisão. / Quando ele vier, porque é certo que vem, / de que modo vou chegar ao balcão sem juventude? / A lua, os gerânios e ele serão os mesmos / – só a mulher entre as coisas envelhece.*" Em sua criação poética, a Adélia atriz e dramaturga é um griô, uma contadora de histórias, uma Sherazade.

Escreve para não morrer. Quem a poderia machucar ou ofender adia o atentado para ouvir mais uma história. Adélia faz alvenaria onírica em mim. Sempre penso que o sonho sonhado dormindo, o sonho sonhado acordado, a lembrança, a memória e o cinema são todos feitos de certa película. Acho que são da mesma película. A imaginação também. Acrescento aí, pela propriedade, a poesia, porque ela urde arcos cênicos inteiros, às vezes em uma página, e nos abre seu enredo. A maneira, no entanto, com que a poeta realiza sua ficção costuma se imprimir em nós como experiência de um sonho: "*Uma ocasião, / meu pai pintou a casa toda / de alaranjado brilhante. / Por muito tempo moramos numa casa, / como ele mesmo dizia, / constantemente amanhecendo*", exubera a "Impressionista", a pintora, artista plástica do presente. Sim, todos os poemas que sei moram em mim como acontecimentos, episódios, vivências. Parece um passado meu. Emocionalmente estão na categoria da coisa vivida e lembro deles como memória. É surreal o que tento dizer, mas é verdade, madame Prado nos leva sim ao reino de Creta, às criptas dos sacerdotes, à Cornélia – mãe de Cratos, irmão de Tibério –, aos manacás, às conversas com Ofélia. Tudo é feito com um toque de mágica. A palavra pintando a tela. O sentindo fazendo

a animação. Tudo instantâneo. O poeta é um tradutor: é um tradutor escultor, tradutor pintor, tradutor fotógrafo, tradutor pirógrafo, tradutor. Radiografa o momento, esculpe, desenha com a palavra, tem que dar conta de tudo, no nanquim, no carvão. O poeta pinta cores. "Eu sonhei uma cor." Seu serviço é trazer com as palavras tudo que seus olhos tocam e depois de ser processado pelas lentes da poesia, depois de passar incólume por sua inocente arguição, há um pôr do sol lá fora e o poeta precisa trazê-lo para a página através das palavras. Escrever com a luz, sua "foto-grafia". O poeta dá testemunho. Escreve o impacto entre ele e a vida. Se mentir, como saberemos? Afirma que é de tarde. Então é. Como o contestaremos? Por que o faríamos? Ele disse que é de tarde, portanto é verdade. O poeta é meu apóstolo! E eu confio na epístola de Adélia Prado, viajo crédula em sua conversa bordada em ritmos inusitados. São versos livres, embora dentro da orquestra. Há um manejo equilibrado de notas rítmicas, mas sem forçar a barra do cognitivo; ele nem se dá conta disso. O cognitivo é apanhado pela inspiração, convocado ao ofício, e nós acreditamos no resultado, sem duvidar. Tanto é que fui com ela, mergulhei no "Canto eucarístico": "*Na fila da comunhão percebo à minha frente uma velha, / a mulher que há muitos anos crucificou minha vida, / por causa de quem meu marido se ajoelhou em soluços diante de mim: / 'juro pelo* Magnificat *que ela me tentou até eu cair, / peço perdão, por alma de meu pai morto, / pelo Santíssimo Sacramento, foi só aquela vez, aquela vez só'. / Coisas atrozes aconteceram. / Até tia Cininha, que morava longe, / deu de aparecer na volta do dia. / Conversávamos a portas fechadas, / ela com um ar no rosto que eu ainda não vira, / zangando pouco com o menino, deixando ele reinar. / Houve punhos fechados, observações científicas / sobre a rapidez com que a brilhantina desaparecia do vidro, / sobre como pode um homem, num só dia, / trocar duas camisas limpas. / Irritação, impertinência, / uma juventude amaldiçoada tomando conta de tudo, / uma alegria – que chamei assim à falta de outro nome – / invadindo nossa casa com a sofreguidão das coisas do diabo. / Rezei de modo terrível. / O perdão tinha espasmos de cobra malferida / e não queria perdoar, / era proparoxítono, um perdão grifado, / que se avisava perdão. / 'Olha, filha, aquela mulher que vai ali / não é digna do nosso cumprimento.' / 'Por que, mãe, não é dí-gui-na?' / 'Quando você crescer, entenderá.'* / Senhor, eu não sou digno / que neste peito entreis, / mas vós, ó Deus benigno, / as faltas suprireis. / *Na fila da comunhão cantamos, ambas. / A mulher velha e eu.*" Agora me diga leitor amigo, se não é um documentário que acabamos de ler? Se aqui não está no roteiro pronto.

Eta, eta, eta, Minas! Minas que se apresenta a toda hora, Minas que às vezes se parece com o mundo inteiro. Lá em Juiz de Fora, 1993, eu me apresentando no barzinho de Maria Alice, o Marrakesh, despencava daqui com meus livros independentes debaixo do braço, capas feitas com cartolinas coloridas, rumo à rua Espírito Santo. A dona fez uma espécie de encontro de poetas mineiros e me convidou na lista dos não mineiros que incluía gente de outras partes do Brasil. Estava cheio. Como havia perdido minha mãe recentemente, resolvi recitar seu poema "Orfandade". Qual não foi minha surpresa quando alguém, da plateia, grita depois da minha apresentação:

"Menina, qual o seu nome?"

Elisa, e o seu?

"Adélia."

Era Adélia Prado? Não podia ser! Nunca tinha visto sequer uma foto dela, seu rosto. Morava em mim no lugar dos mitos verdadeiros. Ainda não a conhecia assim no modo gente, palpável, vista a olhos nus. Só a conhecia em letras, em palavras. E agora lá estava ela, aquela índia. Era uma índia quem eu via. Linda. Era real. Era a poesia. Dona Adélia, a rainha de minhas noites, traidora de minha blasfêmia e sua propulsora. Aquele dia da minha vida mudou tudo, e sei que não sou a única a ter histórias mágicas envolvendo a vida de seus poemas e os leitores. É isto que sou: uma leitora dela. Estudiosa do efeito que sua arte produz nos viventes. Muitas vezes aqui falo por mim, e, em outras tantas imagino falar por nós. Intento arriscado visto que o espanto da beleza tem como abater defesas, resistências; tem como atingir infinitudes, túneis, secretas cavernas, lugares inimagináveis em cada ser, já que os labirintos da alma são de uma diversidade proporcional às diversidades das naturezas humanas, incluindo flora, fauna, florestas, rios, mares, montanhas e Divinópolis! Porque Divinópolis é um mundo, um grande roseiral, um pasto imenso no qual nossa musa capina e grafita sua liturgia.

"*Deus não tem vontade. Eu, sim, / porque sou impressionável e pequena / e nunca mais tive paz desde que há muitos anos / pus meus olhos em Jonathan. / Meus olhos e em seguida minha alma. / Nada mais quis até hoje (...) / Meu coração não pensa / e meu coração sou eu e seu desejo incansável. / A menina falou espantosamente: / 'É impossível pensar em Deus.' / E foi este o meu erro todo o tempo, / Deus não existe assim pensável.*" O que é isso? Por que ela fala em Deus e em Jonathan? O que deixou de nos explicar e nos resumir? Não sei. Uma vez perguntaram-lhe numa entrevista: Jonathan existe? É alguém que você conheceu, ou conhece? Mineiramente, com firmeza e doce delicadeza, gesto de difícil dinamização, a poeta responde: "Essa é a pergunta de milhões de dólares."

A primeira vez que ouvi falar da existência de Jonathan, ou melhor, a primeira em que se ouviu falar dele nomeado no país adeliano, foi num poema chamado "Tempo", em *O coração disparado*: "*Vinte anos mais vinte é o que tenho, / mulher ocidental que se fosse homem / amaria chamar-se Eliud Jonathan.*" Fiquei encasquetada com aquele código. Na busca de compreensão, soube que, em hebraico, significa "dádiva do Senhor, aquele que é dado por Deus". Então, não sei por que ali não me detive. Ocorre que nesse livro, escrito em alto batimento cardíaco, impressionantemente vivo, amoroso, quente, Jonathan é revelado aparentemente só essa vez, como um pequeno e discretíssimo anúncio do que viria no próximo livro, mas ainda não o sabíamos. Ninguém reparou na semente fértil que se apresentava ali à nossa frente! Não sabíamos ainda, todavia. Éramos os inocentes, os leitores, os que confiam na lanterna do poema, os que topam: ora um passeio em tapete gramado, ora em solavancos e sobressaltos em curvas inesperadas, com impensáveis lombadas da realidade no mato inédito da ficção poética. A presença do Jonathan ali não era a ponta do iceberg, mas uma fagulha do grande vulcão. E vamos vê-lo cavalgar logo depois no livro *O pelicano*, onde ela parece galopar na certeza de que Jonathan é uma forma de Deus nela. E, mais tarde ainda, aprendi a perceber a existência de Jonathan em seu sonho desde os 12 anos, na biografia de seu país inventado pela poesia.

Vale aqui indagar: se até meados do século XIX não era permitido à mulher estudar, ler e escrever, quem falava por nós? Quem fazia a descrição fiel de nossa fala, nossas ações, nossas aspirações, nossos calados segredos, nossas opressões, nosso pensar? Quem por nós escrevia? Testemunhava? Quem se atreveu a ser nossa língua antes de nós? Os homens. Por isso, há tantos romances famosos universalmente, edificados em construções moralistas da figura feminina, julgamentos estrangeiros demais ao planeta fêmea e, em sua maioria, cegos de nossa verdade por causa das vendas postas nos olhos masculinos pelo patriarcado, pelo machismo, cobrindo de invisibilidade a subjetividade feminina. Um século depois, nas clareiras abertas pelas pioneiras que a antecederam, surge, luminosa, a Senhora Prado. Irreverente. Sua poesia, bebida nos sertões Guimarães, em seu amor atávico pela palavra, em poeminhas bíblicos que os Salmos representam, na base filosófica de sua formação erguida sobre uma infância pobre e rica, não se intimida em tatuar sua digital única. A ponta de seu lápis desestabilizando vícios acadêmicos, permitindo que sua obra possua seu próprio feixe de bons modos, sua particular irreverência, protegida pela constituição única de seu invencionismo literário, que jamais abdica da mulher que deseja, tal qual em "Fatal": "*Os moços tão bonitos me doem, / impertinentes como limões novos. / Eu pareço uma atriz em decadência, / mas, como sei disso, o que sou / é uma mulher com um radar poderoso. / Por isso, quando eles não me veem / como se me dissessem: acomoda-te no teu galho, / eu penso: bonitos como potros. Não me servem. / Vou esperar que ganhem indecisão. E espero. / Quando cuidam que não, / estão todos no meu bolso.”* Quando chegou na vida intelectual brasileira, o fez equipada por essa respiração feminina, de feitura poética tão inovadoramente sincera que deixou em maus lençóis os que insistiam em uma escrita eminentemente formalista, sem o profundo e mágico cotidiano que ela nos oferece. Vem com tudo. Traz seus vizinhos, seus mortos, seus féretros, seus anseios, suas dúvidas, suas flores, sua humilde vaidade para seu reinado natural. Sua poesia é corporal, tem asas e vísceras, boca, patas, mãos, maçãs e utopias. Adélia não perde a utopia. É fiel a ela. Fidedigna. Seu sonho está presente em profusão. Espalha-se. A senhora utopia garante o perfume de suas emoções, imprime-se no perfil do café, desce no bojo da lágrima, habita o prato, o queijo, e faz a escritora saber também que está sendo requisitada. Sabe que, ao publicar seus versos, onde moram suas verdades, onde se esconde a pureza de sua essência, não só se expõe, mas se emaranha na lira de um tempo moderno que, apesar de lhe conferir o “destino de uma estrela”, tal qual sua intuição lhe soprara, também, e por isso mesmo, lhe traria e exigiria entrevistas, respostas, posturas, indagações, notícias, expectativas alheias. Representa um feminino muito ousado, trazido dentro de um arcabouço que, embora muitas vezes direto, não é de fácil decifração. Traz coberturas, recorre a códigos de inesperadas belezas e nem sempre se aguenta o fardo, o compromisso exterior, as oficiais exigências de uma carreira literária com seus academicismos e chás.

O século XIX, afinal, está logo ali atrás. Em Adélia, a poesia surge quando quer. Seduz. Caprichosa, impõe-se, avança, captura, é inconveniente, pode aparecer no meio da dor exigindo escrituras. É invasora e é bem recebida. Tem poder. Ser poeta é uma rendição. Um jeito de não morrer ao se entregar. É isso que nos radiografa em seu clássico "Sedução": "*A poesia me pega com sua roda dentada, / me força a escutar imóvel / o seu discurso esdrúxulo. / Me abraça detrás do muro, levanta / a saia pra eu ver, amorosa e doida. / Acontece a má coisa, eu lhe digo, / também sou filho de Deus, / me deixa desesperar. / Ela responde passando / língua quente em meu pescoço, / fala pau pra me acalmar, / fala pedra, geometria, / se descuida e fica meiga, / aproveito pra me safar. / Eu corro ela corre mais, / eu grito ela grita mais, / sete demônios mais forte. / Me pega a ponta do pé / e vem até na cabeça, / fazendo sulcos profundos. / É de ferro a roda dentada dela.*"

No segundo livro, *O coração disparado*, quando a alma amanhece meio torta, questiona sua nova vida pública: "*De que me adiantou pegar na mão do poeta / e mandar pra frente da batalha feminista / a mulher do meu amado, / se o que sobra é um nó, / uma ruga nova, / a lembrança da gafe abominável?*" Está falando dela. É ela a mulher do seu amado. Esse poema chama-se "Ruim", no qual nos exibe um dia em que o "*ânima está em dispneia*" e ela parece quase se arrepender da missão que o "*anjo esbelto, / desses que tocam trombeta, anunciou: / vai carregar bandeira*". O oráculo lhe anunciava que seria mãe dessa obra que sua persona representaria, quer quisesse ou não. No fundo, estava pronta para ser o que seu destino lhe apontara: "*Mulher é desdobrável. Eu sou.*" Carregar bandeira também significava um "*cargo muito pesado para mulher, / esta espécie ainda envergonhada*". Porém, sem arredar pé do que seu coração ordenava, sem abrir mão do transe brotado de sua peculiaríssima fé, ainda assim cumpriu a sina. Cumpre: a juventude a lê, a mulher moderna nela se vê, se compreende, se encaixa e se refestela. Adélia diz o que quer, obedece a alquimias, é sua bandeira. Com esse poema abriu seu primeiro livro, *Bagagem*, fazendo uma paródia num jogo de aliterações com o seu querido poeta Carlos Drummond de Andrade que jogou no "Poema de sete faces" o seguinte enigma: "*Quando eu nasci, um anjo torto / desses que vivem na sombra / disse:*

Vai, Carlos! Ser gauche na vida." Adélia o homenageia enquanto brinca e demarca o feminino em seu poema inaugural para nós em "Com licença poética", e nele, em vez da palavra "gauche", dispara: "*Vai ser coxo na vida é maldição para homem.*" E termina por se definir múltipla, capaz de vários desdobramentos. Não foram poucos os saraus que vi e vejo neste Brasil em que recitam esses versos mineiros bocas e sotaques gaúchos, nordestinos, cariocas, capixabas, manauaras e de tantas outras paragens. Inclusive nos saraus da Casa Poema, onde esses versos circulam exatamente como o anjo anunciara: uma bandeira. É um poema *hit* e não por acaso é o carro abre-alas do primeiro livro. Não é pouca coisa não.

Bagagem já dizia a que vinha. Não estava brincando. Seu cardápio lírico, já nos anunciava o trailer do que viria dali, de seu imprevisível cinematográfico arado. *O coração disparado* leva a sério o seu desejo imenso: "*Na cama larga e fresca / um apetite de desespero no meu corpo.*" Fala do desejo, revela a importância sacra e erótica que o divino tem em sua vida. "*A mulher pode vinte orgasmos? / De tão tolo esmero não cuido. / Quero amor, o fino amor. / Só suporto sete dores.*" Ou ainda: "*Cometi gula, ansiei pelo detalhe das fraquezas alheias / e mesmo tendo marido explorei meu corpo.*" "Tenho predileção por homens", afirma numa entrevista. Mas isso não a antagoniza a Deus, pelo contrário, com Ele se mistura. Sua alma quer copular. Sua fé tem tesão. Deseja. Nos títulos de cada capítulo de *O coração disparado*, seu desejo amoroso e devoto está substancialmente presente: "Tudo que eu sinto esbarra em Deus", "Qualquer coisa é a casa da poesia", "Esta sede excessiva", "O coração disparado e a língua seca". Todo conteúdo que trouxera diminuto em *Bagagem*, hoje vejo, cartografava um pequeno cardápio do que seria sua obra desejante a qual reforça e radicaliza nesse segundo livro. Em "Moça na sua cama" exibe o filme do desejo ardente desde sempre. *"(...) tomo a bênção e fujo atrás dos homens, / me contendo por usura, fazendo render o bom. / Se me tocar, desencadeio as chusmas, / os peixinhos cardumes. / Os topázios me ardem onde mamãe sabe, (...) / O céu é aqui, mamãe. (...) / As fábricas têm os seus pátios, / os muros têm seu atrás. / No quartel são gentis comigo. / Não quero chá, minha mãe, / quero a mão do frei Crisóstomo / me ungindo com óleo santo."* Nos capítulos de *O coração disparado* somos preparados para o que virá indisfarçável em *O pelicano* e irrefreável em *A faca no peito*: "*Tudo pulsando à revelia de mim, / bom como um ingurgitamento não provocado do sexo. / A pura existência.*" No poema "Linhagem" organiza um tratado memorial:

"Minha árvore ginecológica / me transmitiu fidalguias, / gestos marmorizáveis: / meu pai, no dia do seu próprio casamento / largou minha mãe sozinha e foi para o baile." E vai entendendo seu papel na árvore, e que resultou no tratado que agora sai de suas mãos. Suas antecessoras *"morreram cedo, / de parto, sem discursar"* e, no entanto, coube à nossa poeta querida transmitir a lírica estirpe libertada aos seus futuros, como faz em "Nem um verso em dezembro": *"Movo as pernas sem conter meus quadris, / como deveria ter feito a vida toda, / pra conquistar o mundo."* Se demarca, inscreve-se na cartografia do desejo, como nos últimos versos do poema "Tempo": *"Quarenta anos: não quero faca nem queijo. / Quero a fome."*

A capa da primeira edição de *A faca no peito* pela editora Rocco, em 1988, estampa a ilustração de Marc Chagall que ela descreve em "Formas", que pinta um beijo no coração da dama, como metáfora daquela pontada de amor no peito: *"De um único modo se pode dizer a alguém: 'não esqueço você'. / A corda do violoncelo fica vibrando sozinha / sob um arco invisível / e os pecados desaparecem como ratos flagrados. / Meu coração causa pasmo porque bate / e tem sangue nele e vai parar um dia / e vira um tambor patético / se falas no meu ouvido: / 'não esqueço você'."* Retrata a força do amor, sentimento que o poeta Djavan descreve como "quase uma dor" e com o qual Adélia parece concordar. Portanto, esse beijo, dado diretamente sobre o coração da donzela, tem lâmina, gume, ponta. A capa traz a metáfora desse amor e é prólogo do surgimento de Jonathan, que aqui, nestas páginas, desponta absolutamente revelado, soberano e dono do livro, abrindo o primeiro capítulo de um coração muito apaixonado com a sua "Biografia do poeta": "*Era uma casa com árvores de óleo, / duas árvores grandes... / Assim começa meu amor por Jonathan, / com este belo relato.*"

E segue a nos confundir, a produzir cortinas, difusores de luz, sombras, suposições: "*Descubro que nunca vi a vera face de Deus / Há mulheres no meu grupo que rezam sem alegria / e de cabo a rabo recitam o livro todo, / incluindo* imprimatur, *edições, prefácio, / endereço para comunicar as graças alcançadas. / Eu só quero dizer: Ó Beleza, adoro-Vos! / Treme meu corpo todo ao Vosso olhar.*" Ainda não sabemos quem é esse Jonathan – um homem ou Deus? "*Quero dançar / e ver um filme eslavo, sem legenda, / adivinhando a hora que o som estrangeiro / está dizendo eu te amo. / Como o homem é belo, / como Deus é bonito. / Jonathan sou eu apoiada na minha bicicleta / posando para um retrato.*" Então Jonathan é ela? Seria uma autoficção? Ela já tinha dito que gostaria de ter esse nome se fosse um homem. Quem é Jonathan?

Em "Opus Dei" ela me atiça: "*Se Jonathan for deus estarás certa / e se não for, também, / porque assim acreditas / e ninguém é condenado porque ama.*"

Por algum tempo, por causa desse personagem herói, me confundi, misturei literatura, com a mulher de carne e osso que vive em Divinópolis com Zé, seu príncipe real. Me emaranhei na investigação de saber quem era essa entidade na mata atlântica subjetiva dessa criatura mineira. Fui seguindo suas pistas e adentrando o pântano enfeitado de atrações imagéticas, purpurinas faiscantes aos meus olhos curiosos: "*Quando Deus criou o mundo / criou junto a bicicleta e o caminho relvado / onde Jonathan me espera para essa bela sequência: / a passagem dos amantes, / o capim florido estremece.*" E assim Adélia me engambela, distrai meus olhos, minha alma romântica. A cineasta da palavra agita sua moviola, nos entrega esse amante numa cena apaixonada de filme. Não falou em música, mas está lá, premente, soando entre o mato tremulante. São muitas cenas. Jonathan com ela na bicicleta na planície perguntando se ela tomou o iogurte... o personagem aparece em todo canto, está em toda parte, é onipresente e ela o vê: "*Quando abri a porta de noite, / lá estava um sapo de pulsante papo, / um pacífico sapo. / Pensei: é Jonathan disfarçado, veio aqui me visitar.*" Percorri estradas enganosas para matar a charada de Jonathan. É um romanceiro o que ela fez com ele em *A faca no peito*, um romance em versos recheado por um só tema, um único motivo. O livro todo, com 30 poemas, traz 27 com seu nome escrito explicitamente. É tudo dele. Para ele. E de tal maneira ela o mistura à figura divina que nos é também impossível separar: "*Estão equivocados os teólogos / quando descrevem Deus em seus tratados. / Esperai por mim que vou ser apontada / como aquela que fez o irreparável. / Deus vai nascer de novo para me resgatar. / Me mata, Jonathan, com sua faca, / me livra do cativeiro do tempo. / Quero entender suas unhas, / o plano não se fixa, sua cara desaparece.*" Não desanimei, persegui o enigma. Li de trás para a frente e de frente para trás "A faca no peito", achei Jonathan em outros livros depois, acreditei. Nunca mais parei de encontrá-lo em toda a obra. Explícito ou disfarçado.

Em "Carta", se derrete assim: "*Jonathan, / por sua causa / começam a acontecer coisas comigo. / Ando cheia de medo. / Quero me mudar daqui (...) / caí no ciclo esquisito de quando te conheci. / Fico sem comer por dias, / meu sono é quase nenhum, / ensaiando diálogos / pra quando nos encontrarmos / naquele lugar distante / dos olhos da Marcionília / que perguntou com maldade / se vi passarinho verde. (...) / me surpreendi grunhindo, / beijando meu próprio braço. / Estou louca mesmo. / De saudade. / Tudo por sua causa. / (...) Da janela do quarto onde não durmo / fico olhando Alfa e Beta, / que, na minha imaginação, / representam nós dois. / Você me acha infantil, Jonathan?"* Então, quando já estava acreditando que Jonathan era mais Deus que homem, bisbilhotei outros documentos, outros códigos, vestígios que a poeta pudesse ter displicentemente deixado para que eu solucionasse o desafio e, quanto mais prestes estava de concluir que o homem era Deus, mais me emaranhava em sinais que me levavam à estrada humana com a materialidade detalhista do "Bilhete da ousada donzela", cena que assina com pseudônimo, compondo a ficção e desvirtuando meu inquérito: *"Jonathan, / há nazistas desconfiados. / Põe aquela sua camisa que eu detesto / — comprada no Bazar Marrocos — / e venha como se fosse pra consertar meu chuveiro. / Aproveita na terça que meu pai vai com minha mãe / visitar tia Quita no Lajeado. / Se mudarem de ideia, mando novo bilhete. / Venha sem guarda-chuva — mesmo se estiver chovendo. / Não aguento mais tio Emílio que sabe e finge não saber / que te namoro escondido e vive te pondo apelidos. / O que você disse outro dia na festa dos pecuaristas / até hoje soa igual música tocando no meu ouvido: / 'não paro de pensar em você'. / Eu também, Natinho, nem um minuto. / Na terça, às duas da tarde, / hora em que se o mundo acabar / eu nem vejo. / Com aflição, / Antônia."*

Então essa é uma carta de uma moça para um rapaz com pinceladas de um idílio adolescente? Quando estava quase segura disso, sou colhida por um verso que se ascende para mim de outro poema: "*O ritmo do meu peito é amedrontado, / Deus me pega, me mata, vai me comer / o deus colérico.*" Na sequência, em outras páginas, encontro: "*O amor de Deus é Sua Beleza, / igualam-se. / Quero ser santa como santa é Agnes, / a que voa nas asas dos besouros, (...) / Me abraça, Deus, com Teu braço de carne, / canta com Tua boca para eu ficar inocente.*" E um outro: "*O dia da santidade se aproxima, / o dia pagão em que nascerá a minha vida. / Jonathan, antes de Cristo / eu te amo.*" Então não se tratava de um delírio místico, e sim de uma construção ficcional em que Deus e Jonathan e Jesus se fundem nesse romance intergaláctico, um amor bíblico e erótico que se dá num portal sagrado, não importa onde, como revela em "Gritos e sussurros": "*Este ano é bissexto, Jonathan. / No céu ou no inferno, / um dia inteiro pra nós.*" De alguma maneira estamos todos ali com ela em sua cena de amante; Deus travestido de Jonathan, a lembrança de que ela tocou levemente seus dedos sob o pires ao lhe oferecer um café: "*Mais café, Jonathan? Mais café? / Ele me achando ousada porque olhei seus sapatos / e em seguida a janela / para que lesse nessa linha oblíqua / a urgência da minha alma. / Me beijou algum dia ou foi sonho, excessivo desejo? / Deus me separa de Deus, é frágua seu coração / ardendo de amor por mim que ardo de amor por Jonathan / que observa Orion, impassível como um rochedo. / 'Tomai cuidado, vossas fantasias se cumprem.' / Imagino que peço a Jonathan: / me deixa ferir teu lábio pra me provares que existes. / Jonathan que amo é divino, / acho que é humano também."*

É assim, um jogo de mistérios em que inspiração e nutrição se fundem, tal qual em "A santa ceia": "*Jonathan é minha comida.*" Conhecemos dele seu sapato, seu relógio, sabemos em que encontro marcado está escrita sua teologia onde Jonathan desponta. É o homem que ela espera ansiosamente tocar a campainha da porta. Como não pode ser de verdade o Jonathan? Nos apaixonamos por ele, é também o nosso amor. Desperta o desejo e nos tornamos devotos daquela espécie de danação poética que atravessa o corpo e que faz dele templo amoroso. Brinca com a gente, escreve o nome dele ao contrário, abre para nós os seus bilhetes secretos, suas cartas onde assina outro nome, pesca sua realidade e a insere num mundo em que Jonathan está ali também à nossa mão e sanha. Brinca com isso: "*Pediram insistentemente / para eu saudar o Embaixador. / Respondi: não. / Com todas as letras: não. / Só pra me divertir, expliquei / que aguardo na mesma data / visita da Manchúria, / professor ilustre vem saber / por que encho tantos cadernos / com este código espelhado: / OMAETUE NAHTANOJ.*" Mas logo adiante se vale da "Citação de Isaías", o profeta, o que usa o Antigo Testamento e prevê um dia a chegada do filho de Deus, o Salvador. E aí ela traça a arqueologia de sua escavação: "*A matéria de Deus é Seu amor. / Sua forma é Jonathan (...).*" É muito difícil afirmar que não vi Jonathan na "bicicleta do sonho", seria mentir. "*O que me leva a Jonathan? / A bicicleta do sonho, / mais veloz que avião. / Anda no mar, encantada, / transpõe montanhas, / para no portão florido. / Jonathan está no escritório / com a luz do abajur acesa. / Demoro um pouco a bater, / pro coração sossegar. / Jonathan me pressente / e abre a cortina brusco, / brincando de me assustar.*"

Os que me leem agora, peço que me compreendam. Não há como não falar tanto de Jonathan. Em toda sua obra não existe outro a quem ela tenha dedicado tantos poemas mais que a ele – só Deus. Fato que nos leva a encontrá-los no mesmo corpo, na mesma identidade, na mesma trindade, ou no segredo da mesma esfinge. "*Eu já amava Jonathan, / porque Jonathan é isso, / fato poético desde sempre gerado, / matéria de sonho, sonho, / hora em que tudo mais desce à desimportância.*" "Quanto mais sagrado, mais erótico. O erótico é o vital em mim. Não é o homem bonito que é erótico e sim a alma. O que é erótico é a alma. É assim mesmo que se fala. Tem gente que vai corrigir o poeta, corrige errado e escreve erótica é a alma. Ah, eu fico contrariada. O que quero dizer é que quanto mais erótico, mais sagrado." Fascinada ainda por suas imagens, não resisto à raríssima arquitetura, à harmoniosa engenharia desses versos do "Poema começado do fim". Podemos nele experimentar a delícia de lê-lo de frente para trás e de trás para a frente. Experiência de uma maravilha, bônus que recebemos da qualidade generosa de sua arte. Convido todos a este passeio onde, na mão ou na contramão, o poema faz sempre sentido: "*Um corpo quer outro corpo. / Uma alma quer outra alma e seu corpo. / Este excesso de realidade me confunde. / Jonathan falando: / parece que estou num filme. / Se eu lhe dissesse você é estúpido / ele diria sou mesmo. / Se ele dissesse vamos comigo ao inferno passear / eu iria. / As casas baixas, as pessoas pobres / e o sol da tarde, / imaginai o que era o sol da tarde / sobre nossa fragilidade. / Vinha com Jonathan / pela rua mais torta da cidade. / O Caminho do Céu.*" Para acabar com as dúvidas, ela confessa enfim: "*Minha ficção maior é*

Jonathan, / mas, como é poética, existe / e porque existe me mata / e me faz renascer a cada ciclo / de paixão e de sonho."

Estou tendo um cuidado danado para não dar spoiler, para não reduzir o impacto das surpresas belas que encontramos em seu mundo. Aqui, fui convocada apenas para ser anúncio, recomendação, estímulo, atração, provocação, uma espécie de despertadora de curiosidades – não posso ficar entregando o roteiro. Mas tenho dificuldades de amputar poemas, usar deles só uma linha, uma parte. Sei que quando o poeta vê assim, só o bracinho da criatura, dói nele. Sabe que o negócio é ver o corpinho todo. Sabe que, como uma tela, o poema é bom que seja visto por inteiro para melhor apreciação. No entanto, ficaria imensa esta apresentação se insistisse em reproduzir aqui integralmente todos os meus poemas preferidos e que já estão nos livros desta carinhosa coleção, desta edição especial. Porém, como não há senão eles à minha frente, como faróis, algumas vezes torna-se impossível não citá-los em sua íntegra. Perdoem-me. Para minha reparação e desculpa, trago as lógicas dos museus e das exposições, que oferecem em seus catálogos a obra exposta, fotografada em miniatura, como uma chamada para a grande viagem. Além do que, me valho do fenômeno incontestável de que o poema é sempre um espanto, uma novidade, uma inauguração a cada dia. Aos olhos do mesmo leitor que já até o conhecia, ele reaparece novo, em outro dia, ressignificado, oráculo atualizado de um novo presente. O poema desponta como o mais fresco dos pães. E há de variar conforme a cesta, os olhos e a boca de quem dele se alimenta. Tanto é que um mesmo poema pode ser usado para louvar ou deslouvar. Espero que os poemas que estão a me guiar nesta estrada funcionem como vaga-lumes para outras pessoas também. São legítimos, vieram das noites dela, da sua incansável pastoral pelos campos a me dar orientação.

Quando a Record me fez o honroso e delicioso convite de escrever esta apresentação, não fiquei mais boa da cabeça. Como enxames, despertou-se o bando de aves-versos ao meu redor. Assanhou-se o galinheiro dos poemas, deu alvoroço de asas no alpendre. Há dias durmo como se sonhasse e no sonho vivesse. Em sonho se apresentam metáforas, pedaços de poemas qual cenas de teatro lembradas. Naquele momento do convite eu já sabia que não seria tarefa previsível, e que este texto, assim como os poemas, eu só conheceria depois de pronto. "O oráculo é aquela voz que fala pelo invisível, é o invisível falando através daquele instrumento. Mas tem profecia na poesia: você fala muito além, muito além do que você próprio está percebendo. Isso eu também acho espantoso. (...) A poesia é isso: revelação, epifania, parusia. Mas o poeta é um coitado, então sabe o que é? Um estado de graça. Jubiloso." Na profusão de poemas que se alvoroçavam no aviário de versos da minha memória saltou o fragmento de um para o meio de um sonho meu. Uma coisa incrível. Sonhei com o verso dela na rua, em minha terra capixaba: "*Na saída da cidade desconhecida / duas placas altas apontavam: / IBES.................ARIBIRI.*" No sonho estava eu nesse cruzamento e eram versos do poema "Ruim" que já citei aqui antes e que ganharam materialidade onírica, mas também são nomes de dois bairros importantes de minha amada Vila Velha. Quando os li em sua obra foi como se ali nos irmanássemos profundamente, sem que ela pudesse se dar conta.

Naquela tarde em sua casa na Divina pólis, me chamou ao quarto. Numa caixinha de madeira, linda, me ofereceu um terço. Dela. "É pra você, uma gratidão minha." Adélia, mas o que eu vou fazer com um terço se eu sou de rezar nele, não sou católica, não vou à missa? Ela me olhou calma, sorrindo, amorosa, tolerante, sem preconceito, bonita, límpida que nem a luz da mesma tarde: "É só escrever o que você escreve que você já dá conta. Não precisa ir em missa não." Fiquei emocionada e perguntei o que havia entre nossos versos e ela então respondeu: "Comunhão." Por causa dessa hora suspensa no tempo, fiz depois um colar do terço e usei na peça sobre ela. Será que entendi nossa conversa direito?

O que há, sobretudo entre o leitor e o poeta, é uma relação, uma espécie de caso, uma dupla, uma união. Sua tradução da vida passa a compor também a tradução da vida do leitor, que segue aquelas indicações, aquelas sinalizações na estrada do autoconhecimento. Todas as artes são de autoajuda. Não há como desdizer isso. Caso contrário, como explicaríamos a presença das esculturas nas mesinhas ao lado da cama, dos quadros na cabeceira, dos bordados nas colchas cobrindo o leitor? Porém, de todas, quem mais exerce a função misericordiosa e de amparo para o vivente é a poesia. Está presente em tudo: nas portas das geladeiras com seus ímãs, em nossos cadernos, nas agendas, nos corpos, nas telas do computador, nos bilhetinhos secretos dentro da carteira. É como se disséssemos: este é meu poeta, minha poeta. Isso que ele fala sou eu. Portanto, se trata de um laço, tal qual as relações de afeto são e se dão. Não há nada mais íntimo num poeta do que sua poesia e é com ela que nos relacionamos. Pelos poemas nos podem chegar muitas informações sobre a vida dos seus autores. O seu olhar é nossa realidade. Quando descobri a sexualidade feminina gritando dentro dos poemas de Adélia, fiquei mais fascinada ainda. Tudo que lembra o animal humano, nossa fome, nossos líquidos, nossa vida cíclica com a terra é parte importantíssima do que somos, embora a civilização ainda evite essa verdade e a negue. Adélia sabe que o que chamam de erótico é divino e não eivado de punição. Por muito tempo, nós, mulheres, fomos silenciadas no tema dos nossos desejos. Na década de 1920, a poeta brasileira Gilka Machado foi chamada preconceituosamente de "matrona imoral",

só porque ousou falar do que nos era proibido. E aí nos chega Adélia, simples, direta, realista, e ao mesmo tempo velada, católica, misteriosa e destemida. Seu bordado poético não mente, e cria, ao mesmo tempo, uma estratégia estética para que transitem protegidos seus desejos confessados. Não se desconfia logo de sua tão presente libido, mesmo ela afirmando em "Canícula": "*Quero braceletes / e a companhia do macho que escolhi.*" De alguma maneira ela é explícita nesse tema, mas tudo está dito com tamanha elegância e tão bem tramado ao mistério que a gente não percebe logo. Salta primeiro aos olhos sua fé católica, a devoção. Mas aí vêm esses versos dentro do poema "Portunhol": "*Os computadores sabem / que escrevi rosa com 'z', / corrigem-me como professores. / Bate um grande desejo / de torresmos, / garrafa inteira de vinhos, / freme num ponto a vida / – até hoje foi entre as pernas (...).*" Ela não deixa nenhuma dúvida da sua condição de mulher, fêmea desejante, criatura prenhe de incompletudes, criada por Deus. É para provar a pulsante materialidade de nossa existência que escreve "Bairro": "*O rapaz acabou de almoçar / e palita os dentes na coberta. / O passarinho recisca e joga no cabelo do moço / excremento e casca de alpiste. / Eu acho feio palitar os dentes, / o rapaz só tem escola primária / e fala errado que arranha. / Mas tem um quadril de homem tão sedutor / que eu fico amando ele perdidamente. / Rapaz desses / gosta muito de comer ligeiro: / bife com arroz, rodela de tomate / e ir no cinema / com aquela cara de invencível fraqueza / para os pecados capitais. / Me põe tão íntima, simples, / tão à flor da pele o amor, / o samba-canção, / o fato de que vamos morrer / e como é bom a geladeira, / o crucifixo que mamãe lhe deu, / o cordão de ouro sobre o frágil peito / que. / Ele esgravata os dentes com o palito, / esgravata é meu coração de cadela.*"

É esse seu jogo, sua brincadeira de véus, sua alternância entre mistério e revelação. "O pecado para mim não é uma coisa que eu faço, é uma coisa que eu sou. Eu sou o próprio pecado. (...) O pecado é a minha condição. (...) O escatológico é condição, quer dizer, passando por ele você aceita ou não a sua condição. (...) Se você não aceita isso, passa a vida fingindo que é um anjo e não é. Se você aceita, é um descanso danado." Ai, ai, navego aqui, capino nesses campos exatamente por ter essa relação múltipla e não linear com a poeta. Não posso sequer flertar aqui com uma dinâmica acadêmica de apresentação. Não me é permitido. Escrevo o efeito do nosso encontro. Brota de mim o que sua poesia fez comigo, não me cabe fazer de outro modo. Não sei. Cumpro ordens.

Impressionante como Adélia preserva ritmo e harmonia aparentemente ocultos dentro dos seus versos livres, seus versos autorizados pela poética inovadora que o Drummond nos trouxe; "quando li os poemas de Drummond, pensei: isso eu dou conta de fazer", disse a teóloga, a filósofa, a professora, a dona de casa, essa mulher inteira com seu amor enorme pela palavra transmutada aqui, em coisa mesmo, em matéria, porque lhe é indubitável que "o verbo se fez carne", e a palavra é a carne do verbo, é a carne da poesia, sua matéria. "*Aranha, cortiça, pérola / e mais quatro que não falo / são palavras perfeitas. / (...) Jonathan me falou: / 'Já tomou seu iogurte?' / Que doçura cobriu-me, que conforto! / As línguas são imperfeitas / pra que os poemas existam / e eu pergunte donde vêm / os insetos alados e este afeto, / seu braço roçando o meu.*"

Mesmo quando não quer, é mestra: *Côdea* – casca de árvore, pedaço exterior do pão, parte mais dura do alimento. *Frágua* – fogueira, fornalha, incandescente. *Gracos* – filho de Cornélia, irmão de Tibério. *Corolas* – conjunto de pétalas. *Exprobo* – rejeitar, presente do indicativo do verbo exprobar. *Erigir* – construir. *Bulha* – ruído ou gritaria de uma ou mais pessoas. Sempre foi assim. Desde sempre Adélia me levou aos dicionários onde encontrei outras palavras novas; no tempo do dicionário de papel, em que, à procura de uma, sempre se saía no lucro voltando da empreitada com mais uma ou duas palavras que também eram desconhecidas e que, por vizinhança com as procuradas, acabava-se por conhecê-las também. Outras tantas nem eram exatamente palavras novas, mas palavras que ela destaca, que ela infla de poesia, para que possamos vê-las vestidas de uma maneira tão atraente como se fossem palavras inéditas. No poema "Paixão" tem um verso que fala assim: "*De vez em quando Deus me tira a poesia. / Olho pedra e vejo pedra mesmo.*" E até quando ela olha pedra e vê pedra, o poema brilha indestrutível como um diamante. Me cega enquanto me dá mais visão. Estou escrevendo esta parte sem a certeza absoluta de que este verso pertença ao poema "Paixão". Mas não quero conferir neste momento, não quero pesquisar agora, não quero parar, não quero sair daqui, não quero abrir outro livro; vou deixar que falem os poemas, que indiquem rotas, estou gostando.

Anda-se muito firme pelo chão da poesia para quem não sabe o que se vai encontrar. Você pode estar descuidado e entrar sem querer num ônibus com Adélia Prado, fazer a viagem com ela dentro de um coletivo da "Viação São Cristóvão": "*Não quero morrer nunca, / porque temo perder o que desta janela / se desdobra em tesouros. / É Bar Barranco? Bar Barroso? Bar Barroco? / Em frente à estação do trem / a agropecuária explica-se: /*

é de Carmo da Mata. / Fica meio inventado / pegar com um nome a medula das coisas, / porque o ônibus para, / mas a vida não, / porque a vida sois Vós, Inominável! / Meu marido gosta muito de sexo, / mas é também um esposo / capaz de abstinências prolongadas. / O morador se esmera em seu jardim, / com um ódio tão profundo / que parece inocente, / guilhotina o vizinho da reluzente janela. / Estais comovido? / Uma hora e meia de viagem / e a vida é boa que dói. / Os pastos estão bem secos, / mas continuam imbatíveis / no seu poder de me remeterem... / A Vós? À infância? / À Pátria, ao Reino do Céu. / Que posso fazer? Isto é um poema. / Sinto muita fome, quero uma missa aqui. / Os trabalhadores acenam com o polegar para cima, / fica tudo ainda mais tranquilo. / Terei adormecido? / Cochilar é tão feio. / Me fez muito feliz o cientista: / 'beleza é energia'. / Sabia sem o saber, / vai me ajudar bastante. / O ônibus parou de novo. / Os tratores escavam, / a terra cada vez mais pura. / Derrubam algumas árvores, / mas ecologia tem hora. / Que força tem um trator! / Engraçado ele arremessando a árvore, / todo mundo parado, olhando. / É bom ver homem no pesado / e mulher vigiando menino, / a instrução reservada ao padre. / Estou como quando jovem, / a inteligência muito ignorante. / Pode ser que o ônibus demore, / não ligo, não tem importância, / já fui, já voltei e, além do mais, / não quero sair daqui."

Para quem gosta de enigmas, essa mulher é a mestra dos títulos. Neles também guarda os segredos da sua magia. É sua carta que não se vê, escondida nos punhos da camisa, ocultada, de propósito, a fim de preservar o truque. Entende os títulos como chave. É muito difícil encontrar neles uma palavra ou frase que se repita no poema. Raramente isso acontece. Há exceções, como em "Amor feinho", mas o que é majoritário em sua produção é uma profusão de títulos aparentemente misteriosos. Desconfia-se que neles esteja ali disfarçada a grande compreensão do poema. Fareja-se que, através deles, está próximo o grande desnudamento do segredo da esfinge. Há também brincadeiras que imagino que lhe sejam ironias íntimas, piadas internas, como se ali ela testasse o leitor. É o caso de "A meio pau", título que escrito guarda a surpresa que só percebemos quando lido faladamente. Ainda que só na mente.

Há um poema-manifesto de Drummond, chamado "À procura da poesia", com o qual se apresentou na Semana de Arte Moderna de 1922, em que nos revela que, quando estamos pela primeira vez diante dele, o próprio poema nos pergunta "Trouxeste a chave?". No caso de Adélia, muitas vezes a chave está no título. É no título que está o segredo de sua magia. Nele, seu mágico mostra a agilidade dos dedos, no título está a senha, o título *é* a senha. E precede aos primeiros versos, que funcionam como um grande carro abre-alas, uma vez que estes nos põem diretamente no cenário, na casa específica daquela inspiração, nos levam logo ao colo do fato do qual ela partiu, como em "Dona doida": "*Uma vez, quando eu era menina, choveu grosso, / com trovoadas e clarões, exatamente como chove agora.*" Pronto. Bastou esse primeiro cortejo e já estamos com ela na chuva, na janela, já chove em nós aqui também. E continua: "*Minha mãe, como quem sabe que vai escrever um poema, / decidiu inspirada: chuchu novinho, angu, molho de ovos. / Fui buscar os chuchus e estou voltando agora, / trinta anos depois.*" Assim realiza em nós seu teatrinho de sombras que é o que ela diz que a vida é: "*A vida, a pura, / e crua e nua vida / é cascalho, / teatrinho de sombras / que a mão de uma criança faz mover.*" E nunca mais para. No poema "A boa morte" nos põe no velório com ela, assistindo à morte ali, servindo café, "*quase da família*". Faz de nós o que quer. Somos suas marionetes, somos seus versos também.

"A maçã no escuro", uma referência ao romance de Clarice Lispector, foi outro que me deu um trabalho danado para tentar descobrir do que se tratava. Custei a matar a charada e trago a ilusão de que o fiz: "*Era um cômodo grande, talvez um armazém antigo, / empilhado até o meio de seu comprimento e altura / com sacas de cereais. / Eu estava lá dentro, era escuro, / estando as portas fechadas / como uma ilha de sombra em meio do dia aberto. / De uma telha quebrada, ou de exígua janela, / vinha a notícia da luz. / Eu balançava as pernas, / em cima da pilha sentada, / vivendo um cheiro como um rato o vive / no momento em que estaca. / O grão dentro das sacas, / as sacas dentro do cômodo, / o cômodo dentro do dia / dentro de mim sobre as pilhas / dentro da boca fechando-se de fera felicidade. / Meu sexo, de modo doce, / turgindo-se em sapiência, / pleno de si, mas com fome, / em forte poder contendo-se, / iluminando sem chama a minha bacia andrógina. / Eu era muito pequena, / uma menina-crisálida. / Até hoje sei quem me pensa / com pensamento de homem! / A parte que em mim não pensa e vai da cintura aos pés / reage em vagas excêntricas, / vagas de doce quentura / de um vulcão que fosse ameno, / me põe inocente e ofertada, / madura pra olfato e dentes / em carne de amor, a fruta.*" Foi muito importante quando concluí, no íntimo de mim, que a fruta era a maçã da mulher, metáfora do ponto que lhe freme entre as pernas.

Outro título que, tomada de amor, investiguei foi o "Leitura". Eta bichinho emblemático, conselheiro e oracular na minha vida e na vida de algumas pessoas que conheço. Uma delas foi meu grande amigo Miguel

Falabella, que perdera o pai havia pouco tempo e, em um jantar nosso, no restaurante, ele se queixava de que seu luto estava demorado, que já estava achando desproporcional ao tempo físico da data em que seu pai tinha partido. Então lembrei que havia sido consolada por esse poema dela também quando minha mãe morreu. Ainda expliquei o que intuía daquele título e que talvez se tratasse da leitura que ela fazia do próprio sonho: "*Depois encontrei meu pai, que me fez festa / e não estava doente e nem tinha morrido, por isso ria, / os lábios de novo e a cara circulados de sangue, / caçava o que fazer para gastar sua alegria: / onde está meu formão, minha vara de pescar, / cadê minha binga, meu vidro de café? / Eu sempre sonho que uma coisa gera, / nunca nada está morto. / O que não parece vivo, aduba. / E o que parece estático, espera.*" Adélia tinha feito a interpretação de um sonho, uma leitura dele. Lembro de que logo após eu recitá-lo, Miguel chorou e se abriu luminoso: "Tô curado! Fiquei bom. Você deveria abrir postos de emergência poética dizendo este e outros poemas por aí para curar pessoas." Era o fantástico efeito nutricional e regenerador de esperança que uma literatura é capaz de gerar. Era um milagre, era o usual milagre da poesia! Adélia confia nisso e concentra sua força de enfrentamento à brutalidade do mundo em sua arte. Ela mesma afirma que é tudo que ela tem. Sua poesia é seu tesouro e reúne nela sua fé, seu tesão, seu altruísmo, sua culpa, seu perdão. Não tem dúvida em usá-la como bússola, como estrela, orientação. Agarrei na mão dessa confiança para chegar até aqui e, para isso, no chão de mim, o que se viu todo o tempo foram as indicações do poema "Guia", meu mapa: "*A poesia me salvará. / Falo constrangida, porque só Jesus / Cristo é o Salvador, conforme escreveu / um homem – sem coação alguma – / atrás de um crucifixo que trouxe de lembrança / de Congonhas do Campo. / No entanto, repito, a poesia me salvará. / Por ela entendo a paixão / que Ele teve por nós, morrendo na cruz. / Ela me salvará, porque o roxo / das flores debruçado na cerca / perdoa a moça do seu feio corpo. / Nela, a Virgem Maria e os santos consentem / no meu caminho apócrifo de entender a palavra / pelo seu reverso, captar a mensagem / pelo arauto, conforme sejam suas mãos e olhos. / Ela me salvará. Não falo aos quatro ventos, / porque temo os doutores, a excomunhão / e o escândalo dos fracos. A Deus não temo. / Que outra coisa ela é senão Sua Face atingida / da brutalidade das coisas?*"

Uma coisa que não disse: nutro amizades duradouras com determinadas obras. Há algumas de Adélia com quem tenho mais tempo de amizade e de amor do que pessoas têm de alguns casamentos e eu própria tenho com alguns amigos. Há versos que conheço muito. Dormimos juntos. Uso-os em várias situações, nas conversas, nos recitais, nas palestras, nas discussões, nas argumentações, nas aulas, durante os amores, nas uniões. Estranhamente, mesmo inserida que estou na ordem mítica dos orixás, cabe no meu coração ecumênico seu acervo poético como se fosse uma igreja que frequento. À edição volumosa de suas obras completas na minha estante costumo chamar de bíblia. Recorro a ela. São páginas grifadas, orelhas dobradas, marcadas de batom, e algumas até meio manchadinhas, sujeitas que foram à chuva, aos pingos de águas, vinhos e chás. Entendo muito bem os poemas como mensagens, revelações. E me divirto com a sua vaidosa humildade de entender o poeta como arauto de Deus, seu mensageiro, como escancara em "O poeta ficou cansado": "*Pois não quero mais ser Teu arauto. / Já que todos têm voz, (...) / Por que não gritas, Tu mesmo, / a miraculosa trama dos teares, / já que Tua voz reboa / nos quatro cantos do mundo? (...) / Ó Deus, / me deixa trabalhar na cozinha, / nem vendedor nem escrivão, / me deixa fazer Teu pão. / Filha, diz-me o Senhor, / eu só como palavras.*" Dito isso, o que mais posso dizer? "*A vida é assim, Senhor? / Desabam mesmo / pele do rosto e sonhos? / Não é o que anuncio / — já vejo o fim destas linhas, / isto é um poema, tem ritmo, / obedece à ordem mais alta / e parece me ignorar.*" Em *Oráculos de maio,* toda poesia é assumidamente oracular. A função deu nome ao conjunto de versos. Lembro-me que quando o livro chegou às minhas mãos: devorei. Talvez o saiba inteiro de cor. Não sei escolher que poema é melhor, ou mais bonito. Nele, homenageia figuras santas femininas que a menina-poeta-senhora venera, tão identificada que é, por exemplo, com Santa Teresa D'Ávila. Há um poema em que fala imperativa, frente a frente com a mãe de Jesus: "*Maria, / roga a teu Filho que me mostre o Pai. (...) / Quero ver o Pai, insisto, (...) / De onde vêm os nabos, Maria? / Onde está o Pai? / De onde vim? / Move-se na parede um cavalo de sol. / É o Pai? / Não, / é só uma sombra e já se desfaz.*" Sua fé dói, é gozosa e é também divertida. Este é o seu "Parâmetro": "*Deus é mais belo que eu. / E não é jovem. / Isto, sim, é consolo.*" Sua concepção poética mais revolucionária é o conceito aparentemente blasfêmico, mas fundado no mais genuíno amor, é a consciência de que o erótico não nos afasta de Deus e de que estar em contato com ele é, sobretudo, uma experiência sensorial. Em muitas entrevistas, a vi discorrer brilhantemente sobre o tema: "Quanto mais sagrado, mais erótico. O erótico é o vital em mim. Não é o homem bonito que é erótico e sim a alma. O que é erótico é a alma. É assim mesmo que se fala. Tem gente que vai corrigir o poeta, corrige errado e escreve erótica é a alma. Ah, eu fico contrariada. Penso: não entenderam nada. O que quero dizer é que quanto mais erótico, mais sagrado."

Zanzamos no tabuleiro de seu mistério e, como que dispostos à montagem de um grande quebra-cabeça, vamos encontrando nas miragens, nos detalhes cotidianos do seu mundo fantástico, peças dispersas que, associadas, formam e desformam enigmas, a depender do dia. Desavisados, partimos com ela atraídos pelo iluminado nevoeiro de suas rotas. O que se encontra pelo caminho às vezes elucida tudo de uma vez, e você diz: essa mulher ousada, que usa os cabelos brancos desde antes de ser moda, não escondeu o jogo. Está tudo aqui no tratado premonitório e oracular de seus versos: "*Tenho dez anos / e caminho de volta à minha casa. / Venho da escola, da igreja, / da casa de Helena Reis, não sei, / mas piso, é certo, sobre trilha de areia, / pensando: vou ser artista.*" É isso. Sua armadilha é nos fazer cair dentro do seu teatro, é fazer-nos vê-la reinante, linda, atriz principal da liturgia que erige em torno de Deus. "*Um espelho é o que sou, / nem sempre turvo, / veem-se através de mim / os que me julgam clemente. (...) / Ninguém discordará que Deus é amor.*" Essa brasileira irrotulável, de *sede excessiva* nos convida a um saber inconsútil, aparentemente fragmentado e se oferece a nós na estrada escura como um facho luminoso. Dessa maneira, sinto como nestes versos em "Desenredo": "*Estarreço de estar viva. Ó luar do sertão, / ó matas que não preciso ver para me perder, / ó cidades grandes, estados do Brasil que amo como se os tivesse inventado. / Ser brasileiro me determina de modo emocionante / e isto, que posso chamar de destino, sem pecar, / descansa meu bem-querer. / Tudo junto é inteligível demais e eu não suporto. / Valha-me noite que me cobre de sono. / O pensamento da morte não se acostuma comigo. / Estremecerei de susto até dormir. / E no entanto é tudo tão pequeno. / Para o desejo do meu coração / o mar é uma gota.*" Tudo aqui se dá no particular, mas se expande e se realiza no coletivo de nós. Quando parece ser só um peixe, é cardume; quando o que nos ronda é essa folha de papel fino e colorido que atende pelo nome de borboleta, é panapaná; quando parece um estrondoso fogo de artifício, é girândola. Pronto. Não posso mais. É preciso parar. Não se pode cumprir o inesgotável. Meu filho me ensina: "Mãe, toda abordagem é recorte. Nada se esgota". Então, é preciso deter a revoada de pássaros que se aninharam em volta de mim, pousaram em meu corpo, bicaram meu coração a seu modo e gosto como fazem a mamões maduros.

Chegamos na ponta do nosso tapete vermelho. É findado este prólogo. Já se veem as rolinhas voando de volta às páginas, aos ninhos. Estão aqui paridas as vozes desde o início anunciadas. Já se ouvem com nitidez as badaladas dos três sinais do teatro, sino apócrifo de sua insuspeitada igreja.

Deixo-vos, enfim, em companhia desta caixa maravilhosa, na qual, por estes quatro livros, visitaremos muitas vezes inferno e paraíso, nos perdendo e nos reencontrando em cada arranjo, em cada acorde, em cada arpejo. Há uma orquestra aqui, uma sala imensa de espelhos que nos deixa em gozo, em lira, sem fôlego ou saída, a não ser a estrada imensa, o pensamento igualmente imenso da emocional inteligência destes versos. Sua arte tridimensional vai produzindo em nós seus milagres. Transita entre o real e o mágico. Com a autoridade de sua licença poética nos sentimos encantados diante da mãe do mais artificioso realismo fantástico poético. Por isso me embrenhar nessa lavoura de quem realiza um serviço intermitente nos prados da esperança transforma-se em mais que uma leitura. Não se trata apenas de ler sua poesia. É mais que isso. Recolhe a realidade, exerce nela alquimia e atravessa portais. Quase se morre diante de tanta beleza. Sobrevivente, advirto-lhes: estar exposto a tão sofisticado tear transpassa a palavra literatura, rasga a película da sala de exibição e se transmuta em uma vivência. Minha gente, não é de uma mera leitura da qual se volta aqui. É outra coisa: emerge-se de uma experiência.

ELISA LUCINDA
inspiração de inverno, 2021

Poeta, atriz, cantora, jornalista e professora. Tem publicados, entre outros, os livros de poesia *Eu te amo e suas estreias*, *A fúria da beleza* e *O semelhante*, além do romance *Fernando Pessoa, o cavaleiro de nada*, finalista do Prêmio São Paulo de Literatura em 2015. É também autora de livros infantis e responsável por projetos que popularizam a poesia entre todas as idades. Em 2017, comemorando trinta anos de carreira, encenou o espetáculo *A paixão segundo Adélia Prado*.

ADÉLIA LUZIA PRADO DE FREITAS nasceu em 13 de dezembro de 1935, na cidade de Divinópolis, Minas Gerais, onde vive até hoje. Escreveu seus primeiros versos aos 15 anos, em 1950, logo após o falecimento de sua mãe. Concluiu o curso ginasial no Ginásio Nossa Senhora do Sagrado Coração e, em 1951, iniciou o Magistério na Escola Normal Mário Casassanta. Formou-se em 1953 e começou a lecionar em 1955 no Ginásio Estadual Luiz de Mello Viana Sobrinho.

Em 1958, casou-se com José Assunção de Freitas, funcionário do Banco do Brasil. O casal teve cinco filhos. Antes do nascimento da última filha, a escritora e o marido iniciaram o curso de Filosofia da Faculdade de Filosofia, Ciências e Letras de Divinópolis. Adélia formou-se em 1973, um ano após a morte do pai.

Poucos anos depois, enviou os originais de seus poemas ao crítico e escritor Affonso Romano de Sant'Anna, que os submeteu à apreciação de Carlos Drummond de Andrade. O poeta mineiro considerou os poemas "fenomenais" e indicou sua publicação a Pedro Paulo de Sena Madureira, da Editora Imago. O editor, empolgado com o que leu, decidiu publicar os originais, o que resultou no lançamento de *Bagagem*, no Rio de Janeiro, em 1976, com a presença de Antônio Houaiss, Raquel Jardim, Carlos Drummond de Andrade, Clarice Lispector, Affonso Romano de Sant'Anna e Nélida Piñon, entre outros intelectuais e escritores. Desde então, a obra de Adélia Prado tornou-se um marco da literatura brasileira, abrangendo, além da poesia, também contos, romances e um livro infantil (*Ver Lista de obras*).

Em 1980, ela fundou sua companhia de teatro amador, Cara e Coragem, para a qual adaptou e dirigiu peças de Dias Gomes e Ariano Suassuna. Em parceria com o colega Lázaro Barreto, escreveu um auto de Natal intitulado *O clarão*.

Sempre engajada na promoção e na divulgação artística e cultural de sua cidade, Adélia assumiu, de 1983 a 1988, a função de Chefe da Divisão Cultural da Secretaria Municipal de Educação e da Cultura de Divinópolis. Dez anos depois, em 1993, voltou a essa Secretaria, mas no cargo de orientadora pedagógica.

Vencedora de inúmeros prêmios literários – entre os quais, o Jabuti, o da Academia Brasileira de Letras e, por duas vezes, o da Biblioteca Nacional –, Adélia Prado foi condecorada pelo Governo Brasileiro com a Ordem do Mérito Cultural, em 2014.

LISTA DE OBRAS

POESIA

Bagagem, 1976
O coração disparado, 1977
Terra de Santa Cruz, 1981
A faca no peito, 1988
Poesia reunida, 1991
Oráculos de maio, 1999
A duração do dia, 2010
Miserere, 2013

PROSA

Solte os cachorros, 1979
Cacos para um vitral, 1980
Os componentes da banda, 1984
O homem da mão seca, 1994
Manuscritos de Felipa, 1999
Prosa reunida, 1999
Filandras, 2001
Quero minha mãe, 2005
Quando eu era pequena, 2006 (infantil)

PROJETO GRÁFICO Luciana Facchini
ILUSTRAÇÃO Rafaela Pascotto

CRÉDITOS DAS IMAGENS

P. 1 Adélia Prado, 3 de outubro de 1984.
Iugo Koyama/Abril Comunicações S.A.
P. 20 Adélia Prado, 6 de dezembro de 1981.
Luigi Mamprin/Abril Comunicações S.A.
P. 45 O terço que Adélia Prado deu a Elisa Lucinda.
E que foi recebido como uma guia, uma bênção.
Jonathan Estrella/Acervo pessoal de Elisa Lucinda.
P. 61 Adélia Prado e Elisa Lucinda. Comunhão.
Acervo pessoal de Elisa Lucinda.
P. 64 Adélia Prado, 6 de dezembro de 1981.
Luigi Mamprin/Abril Comunicações S.A.
P. 67 Adélia Prado, 15 de setembro de 2011.
Carlos Vieira/Esp. CB/D.A Press.

Este livro foi composto
na tipografia Gambetta, e
impresso em papel Pólen
Bold 90 g/m² na gráfica Ipsis.